FRANCOPHONIES
D'AMÉRIQUE

FRANCOPHONIES D'AMÉRIQUE

Printemps 2010 Numéro 29

Les Presses de l'Université d'Ottawa
Centre de recherche en civilisation canadienne-française

FRANCOPHONIES D'AMÉRIQUE

Printemps 2010 Numéro 29

En couverture : *Entre-saisons,* pastel sur toile coton fromage, 12 po x 30 po., 2008.
CLAIRE CHEVARIE, Moncton (Nouveau-Brunswick)

Francophonies d'Amérique est indexée dans :

Klapp, *Bibliographie d'histoire littéraire française* (Stuttgart, Allemagne)

International Bibliography of Periodical Literature (IBZ) et *International Bibliography of Book Reviews (IBR)* (Osnabrück, Allemagne)

International Bibliography of the Social Sciences (IBSS), The London School of Economics and Political Science (Londres, Grande-Bretagne)

MLA International Bibliography (New York)

REPÈRE – Services documentaires multimédia

Cette revue est publiée grâce à la contribution financière des universités suivantes :
UNIVERSITÉ D'OTTAWA
UNIVERSITÉ LAURENTIENNE DE SUDBURY
UNIVERSITÉ DE MONCTON
UNIVERSITÉ DE L'ALBERTA – CAMPUS SAINT-JEAN

ISBN : 978-2-7603-0754-4
ISSN : 1183-2487 (Imprimé)
ISSN : 1710-1158 (En ligne)
Dépôt légal – Bibliothèque et Archives nationales du Québec, 2011
Dépôt légal – Bibliothèque et Archives Canada, 2011
Les Presses de l'Université d'Ottawa/Centre de recherche en civilisation canadienne-française, 2011
Imprimé au Canada

Comment communiquer avec

FRANCOPHONIES D'AMÉRIQUE

POUR LES QUESTIONS D'ABONNEMENT, DE DISTRIBUTION OU DE PROMOTION :

Monique P.-Légaré
Centre de recherche
en civilisation canadienne-française
Université d'Ottawa
65, rue Université, bureau 040
Ottawa (Ontario) K1N 6N5
Téléphone : 613 562-5800, poste 4007
Télécopieur : 613 562-5143
Courriel : mlegare@uOttawa.ca
Site Internet : http://www.crccf.uOttawa.ca/francophonies_amerique/index.html

POUR TOUTE QUESTION RELEVANT DU SECRÉTARIAT DE RÉDACTION :

Colette Michaud
Secrétariat de rédaction, *Francophonies d'Amérique*
Centre de recherche
en civilisation canadienne-française
Université d'Ottawa
65, rue Université, bureau 040
Ottawa (Ontario) K1N 6N5
Téléphone : 613 562-5800, poste 4001
Télécopieur : 613 562-5143
Courriel : cmichaud@uOttawa.ca

Francophonies d'Amérique est disponible sur la plateforme Érudit à l'adresse suivante : http://www.erudit.org/revue/fa/apropos.html.

Table des matières

Relier, relayer, relater les francophonies d'Amérique

RECENSIONS

PUBLICATIONS ET THÈSES SOUTENUES (2008-2010)

Présentation

Relier, relayer, relater les francophonies d'Amérique

FRANCOPHONIES D'AMÉRIQUE

François Paré
Université de Waterloo

Cette brève présentation ne devait pas être un hommage au poète, romancier et essayiste martiniquais Édouard Glissant, qui s'est éteint à Paris le 8 février dernier, mais elle l'est devenue par la force des choses. Cet ensemble ouvert que forment les francophonies d'Amérique serait-il concevable aujourd'hui sans l'apport de ce penseur remarquable, lui qui, dans *Une nouvelle région du monde* en 2006 et *Philosophie de la Relation* en 2009, en cherchant à définir encore une fois cette notion élusive qu'il appelait la « Relation », se laissait pourtant emporter par « les vertiges de la différence » (*Une nouvelle région du monde,* t. I : *Esthétique*, Paris, Gallimard, p. 74) ? Il avait alors supposé que l'esthétique était la trace de ces différences individuelles et collectives allant à la rencontre les unes des autres dans le respect mutuel de ce qui les distingue. Dire l'Amérique actuelle, c'était d'abord repérer « la trace des lieux où les différents s'opposent et s'accordent » (p. 73). Bien plus, la « Relation » nous amenait à repenser toute « vision systémique de l'Histoire », afin de sortir des schèmes de pensée oppositionnels qui avaient si longtemps sous-tendu le colonialisme. Cette Histoire faisait place à « une construction archipélique des présences des peuples à leurs histoires désormais conjointes, qui s'éclairent les unes les autres, et qui ne sauraient faire genre, le genre Histoire, parce qu'elles font diversité » (*Philosophie de la Relation : poésie en étendue*, Paris, Gallimard, 2009, p. 75-76). Partout, dans ces phrases de Glissant, les pluriels avaient force de reconnaissance et de renouvellement.

Ainsi, l'Amérique francophone, dont la Martinique faisait avant tout partie (mais aussi le Québec, Haïti, la Guadeloupe, l'Acadie, le

Canada francophone), devait briller par la conjoncture de ses différences. Nous étions alors très loin de la fameuse mondialisation des échanges économiques qui semblaient plutôt annoncer l'abolition de la diversité et le règne de la pensée unique. Pour Glissant, « relier, relayer, relater », ces trois verbes, exprimaient justement la fracture de ce type de mondialisation univoque pour proposer autre chose, qui allait bien au-delà de toutes les migrations forcées et de toutes les dominations, et qui était comme un « troisième œil entre les yeux » par lequel une nouvelle solidarité pourrait éventuellement se fonder. L'essayiste apercevait dans ces bouleversements anticipés les premiers signes d'une vive libération issue de la diversité elle-même.

On voit donc combien l'œuvre de Glissant est maintenant à la source de ce que nous faisons. Nous ne l'avons pas toujours su, mais nous le savons maintenant de façon claire et décisive. Bien qu'ils aient été souvent commentés et pillés, les très nombreux ouvrages qui constituent cette œuvre majeure de notre époque attendent encore une analyse critique détaillée. Dans ce numéro même de *Francophonies d'Amérique*, un article est, pour la première fois, consacré à la notion de Tout-monde que Glissant aimait si souvent évoquer.

Édouard Glissant a entretenu des liens féconds avec toute l'Amérique francophone, depuis le Québec et sa diaspora haïtienne jusqu'à l'Acadie et l'Ontario français. Il avait compris que pour parler de cet archipel inattendu que forment les francophonies nord-américaines, il fallait interroger le continent lui-même en tant que prétexte à une fausse homogénéité culturelle et linguistique. Au contraire, penser le lieu de son origine supposait une disponibilité à la « réalité imaginable des lieux du monde » (p. 47). C'est dans cet esprit que je vous invite à lire ce numéro de *Francophonies d'Amérique* comme le signe de cette diversité convergente, fraternelle même, dont Glissant nous a parlé. « Relier, relayer, relater » les francophonies de ce continent dans leurs similarités et leurs différences, voilà bien le mandat que nous nous sommes donné.

Les descriptions de villages dans l'œuvre de Gabrielle Roy[1]

Nathalie Dolbec
Université de Windsor

Chez Gabrielle Roy, le village est un objet omniprésent et préoccupant. Il traverse l'œuvre, depuis Iberville, visité par la journaliste (« Les Huttérites », 1942)[2], jusqu'à Rawdon, dans les Laurentides, décrit dans *Le temps qui m'a manqué* (Roy, 1997 : 19), suite posthume de *La détresse et l'enchantement.*

Le village suscite des réflexions de tout ordre, parfois même de l'humour. Dans « L'école de la petite poule d'eau » (*La petite poule d'eau*), la « vieille carte gaufrée et verdissante » du Manitoba est à la fois objet poétique et prétexte à humour démographique : « Tout au bas de la carte, Luzina voyait une zone assez bien noircie de noms de rivières, de villages et de villes. C'était le Sud. Presque tous les villages avaient droit à la géographie dans le Sud » (Roy, 1992 : 140). Dans « Gagner ma vie… » (*Rue Deschambault*), si le village de Cardinal, entièrement peint en rouge (à l'exception de l'école « toute blanche »), justifie plaisamment son nom, c'est peut-être à la suite d'une erreur logistique : le Canadien National, présume la descriptrice, avait prévu trop de peinture de cette couleur pour recouvrir « la gare et les petites dépendances du chemin de fer » (Roy, 1980 : 284) et avait dû brader le reste !

Le village peut être une idée fixe et n'exister, jusqu'à nouvel ordre, que dans l'imaginaire d'un individu ou d'un groupe. Ainsi des « mirages de la plaine » dans « La route d'Altamont » (*La route d'Altamont*) : « J'étais habituée aux mirages de la plaine, et c'était l'heure où ils surgissent, extraordinaires, ou tout à fait raisonnables : parfois de grands espaces d'eau miroitante, des lacs salés, lourds et sans vie, […]

parfois des villages fantômes autour de leurs “élévateurs” à blé. [...] » (Roy, 1969 : 201).

Mais le village est surtout, chez Roy, un objet de quête. Cette quête peut être, à divers égards, *alimentaire*. Dans « Les Huttérites », la journaliste s'enquiert d'Iberville pour les besoins d'un reportage. Pour Luzina Tousignant, dans « Les vacances de Luzina » (*La petite poule d'eau*), le « gros village » de Rorketon n'est pas seulement un passage obligé sur le chemin du retour ; c'est là qu'elle « recueill[e] de quoi alimenter les récits qu'elle fer[a] à sa famille pendant des mois et des mois » à venir (Roy, 1992 : 23). Dans « Gagner ma vie... », si Christine part pour Cardinal, c'est pour y entamer sa carrière d'institutrice, avec les inquiétudes que cela implique. Quant à Pierre Cadorai (*La montagne secrète*), son besoin de poursuivre jusqu'à Fort Renonciation semble inscrit dans son destin d'artiste : « Du reste, étant parvenu jusqu'ici, comment aurait-il pu résister au désir de filer au moins jusqu'à cette bourgade dont le nom l'attirait : Fort Renonciation » (Roy, 1978 : 29). C'est peut-être la même impulsion qui incite Pierre, après l'éprouvant combat avec le caribou, à « se mettr[e] en route » vers le « lointain village d'Orok, sur la côte » (p. 124). Dans « La route d'Altamont », la mère et la fille se mettent en quête des petites collines de la montagne Pimbina, si chères au cœur de la première. Le nom d'Altamont s'inscrit dans un double effort, mnémonique et inductif : « Gravons-le dans notre mémoire : c'est là notre clé pour les petites collines, tout ce que nous connaissons de certain : la route d'Altamont » (Roy, 1969 : 209). La quête du village, chez les pionniers de l'Ouest, se colore volontiers de mysticisme. Dans *Un jardin au bout du monde*, le jardin des Yaramko (dans la nouvelle éponyme) et la vallée que découvrent les Doukhobors (« La vallée Houdou ») sont l'aboutissement quasi miraculeux d'une longue quête, celle d'un site pour le village promis. Plus prosaïque, le restaurateur chinois Sam Lee Wong (« Où iras-tu Sam Lee Wong ? ») cherche tout simplement, sur une carte du Canada, un village susceptible d'accueillir son négoce. Ce sera Horizon, qu'il devra d'ailleurs quitter à la suite d'un malentendu pour transporter son restaurant dans un autre village, Sweet Clover. Dans *Ély ! Ély ! Ély !*, les aléas de la quête se succèdent en cascade : pour arriver à Iberville, objet de son reportage, la journaliste, égarée, seule, à pied, doit d'abord situer, dans la nuit noire de la plaine, un autre village, Ély, où se trouve l'auberge qui doit l'accueillir. La quête du village est celle aussi d'Éveline (*De quoi t'ennuies-tu Éveline ?*), qui part en Californie à la découverte d'Encinitas, le mystérieux séjour d'élection de son frère Majorique. Enfin, c'est au tour de Gabrielle, dans *La détresse et l'enchantement*, de se mettre en quête de plusieurs villages. Montée sur sa petite jument, Nell, elle part d'abord à la découverte de Saint-Léon, où vivent ses grands-parents. À la fin du récit, il y aura Upshire, le village des villages, sur lequel nous allons revenir. On l'a donc vu, tous les personnages ne sont pas forcément *en mal de village*, et ce dernier n'est pas forcément une idée fixe. Mais tous les endroits cités représentent au moins une *option* et s'inscrivent, à travers l'œuvre, dans une dynamique de la quête.

On sait, par ailleurs, que l'œuvre royenne prend, au fil des ans, un caractère de plus en plus autobiographique. Dans cet ordre d'idées, François Ricard a révélé un parcours à quatre niveaux, dont le déroulement fait que l'œuvre est « appelée peu à peu par le discours autobiographique [...] qui triomphe finalement, sans plus aucun brouillage, dans le texte posthume de *La détresse et l'enchantement* » – que le critique pourra considérer comme « l'aboutissement et la clé de voûte de toute l'œuvre de Gabrielle Roy » (Ricard, 1996 : 26). Il est donc permis de postuler que la quête du village, dans cet « espace autobiographique » qu'est l'œuvre royenne, est aussi celle de l'« auteur-narrateur-personnage » dont l'identité est « affirmée expressément » dans *La détresse et l'enchantement* (p. 23-25).

Nous nous proposons d'examiner ici les descriptions de villages chez Roy, dans une perspective narratologique, en nous inspirant de la théorie de la description telle qu'énoncée par Jean-Michel Adam, André Petitjean et Philippe Hamon. Notre corpus compte vingt-cinq descriptions de villages, de *Fragiles lumières de la terre* à *La détresse et l'enchantement*[3], qui seront analysées diachroniquement. Notons, au préalable, que la critique s'est déjà penchée sur l'image du village dans l'œuvre de Roy. Monique Genuist souligne, dans *La création romanesque chez Gabrielle Roy*, que Roy « s'attache à décrire avec minutie et amour les différents aspects de son vaste pays » dont les villages de Gravelbourg, Cardinal, Rorketon et Dunrea (1966 : 95). Au sens métaphorique du mot « village », Yannick Resch (1978) a dégagé les éléments de ruralité[4] que l'on retrouve dans Saint-Henri – ce « village dans la grande ville », comme l'appelle Emmanuel (Roy, 1993a : 298). Dans *Le cycle manitobain de Gabrielle Roy*, l'étude de l'image du jardin a amené Carol J. Harvey à parler notamment du village de Dunrea d'un point de vue métaphorique et intertextuel : Dunrea, « véritable paradis terrestre où les immigrants [des Blancs-Russiens] peuvent pourvoir à tous leurs besoins », symboliserait « la quête du jardin originel, le retour de l'homme au jardin d'où il fut chassé et dont il garde la nostalgie » (1993 : 181). Enfin, Jean Morency s'est intéressé à la situation géographique du village royen, très souvent « enfoui au creux des collines » (1997-1998 : 69).

Le mot « village »

Outre son emploi épisodique, le mot « village » revient très souvent – plus souvent qu'on serait en droit de l'attendre – dans les descriptions des localités de ce type. Dans la même séquence descriptive, il peut apparaître deux, trois, voire cinq fois[5]. On le trouve dans vingt, soit 80 %, des vingt-cinq segments descriptifs qui nous intéressent[6]. Le descripteur royen lui substitue rarement un synonyme. Dans la description de Portage-des-Prés, Rorketon est qualifié de « bourg » (Roy, 1992 : 11). Le mot « bourgade » apparaît juste avant la description de Fort Renonciation (Roy, 1978 : 30). Mais si Altamont est présenté comme un « hameau », le mot « village » survient peu après (Roy, 1969 : 208), et si Volhyn est décrit comme un « lieu-dit », il a déjà été qualifié de « village » (Roy, 1987b : 153). Le mot revient également dans des descriptions collectives, par exemple dans « De turbulents chercheurs de paix » (*Fragiles lumières de la terre*), où il est dit de Verigin, Kamsack, Mikado, Rama et Buchanan que ce sont « des villages qui ressemblent à tous ceux de la plaine : deux ou trois silos à céréales au centre, une gare du CN en stuc gris blanc [*sic*], le *box car* du chef de section du chemin de fer, une école [...] et des maisons qui s'assemblent au petit bonheur » (Roy, 1982 : 34) – et dans « Le Manitoba » (*Fragiles lumières de la terre*), où l'on apprend des agglomérations de l'Assiniboine, comme Saint-Charles, Saint-François-Xavier (« connu autrefois sous le nom de Prairie-au-Cheval-Blanc ») que « ces villages, avec leur église, leur couvent et leur presbytère groupés ensemble au centre, rappellent étonnamment le Québec, sauf qu'on les voit habituellement paraître de loin, à plat sur le sol nivelé [...] » (p. 115). Dans l'ensemble, la fréquence du mot semble hors de proportion avec le seul souci d'identification.

Un premier examen du système descriptif montre que les deux agglomérations qui figurent, l'une au tout début, l'autre à la fin de l'œuvre, convoquent pratiquement le même appareil descriptif, et ce, sur deux plans bien définis : celui de l'*implantation* et celui de la *schématisation*. Le premier, Iberville, une colonie huttérite, est décrit par une jeune journaliste (p. 17). À l'autre bout de l'œuvre, dans *La détresse et l'enchantement*, Gabrielle dépeint un village d'Angleterre, Upshire (Roy, 1988b : 377-378).

L'implantation

Examiner l'implantation d'une séquence descriptive, c'est observer son positionnement dans le texte. Ainsi, « les plages descriptives peuvent abonder à l'ouverture du récit ou être distribuées tout au long de la narration selon les nécessités calculées par l'auteur » (Adam et Petitjean, 1982 : 113). Dans le cas d'Iberville et d'Upshire, l'implantation est quasiment la même. La description figure en tête de récit (Iberville) ou de chapitre (Upshire). Elle occupe tout le paragraphe, à cela près que la description d'Upshire rebondit et s'achève au paragraphe suivant.

Entre ces deux pôles, plus on avance dans l'œuvre, plus le segment descriptif tend à commencer à l'intérieur du paragraphe. C'est là également que souvent il s'achève. Cette tendance à *enchâsser* la description de village se dessine surtout à partir de *La route d'Altamont*, c'est-à-dire, en gros, à mi-parcours de l'œuvre. On peut déjà constater, à l'échelle de l'œuvre, un souci croissant de *camouflage* du descriptif, ou de *rééquilibrage* du discours, permettant de mieux amalgamer narration et description.

La schématisation

En ce qui concerne la schématisation du descriptif, on a recensé trois opérations : l'*ancrage*, qui consiste à « poser le thème-titre (objet du discours) en haut de la structure arborescente » qu'est le segment descriptif (Adam et Petitjean, 1989 : 114) ; l'*affectation* qui, inversement, fait que le thème-titre est révélé seulement en fin de séquence (p. 115) et la *reformulation* dite *globale* quand elle vient clore une séquence descriptive avec ou sans marqueur de reformulation explicite, la reformulation – souvent apparentée à l'affectation – « reprend en le modifiant le thème-titre initial » (Adam, 1993 : 105).

La schématisation est identique pour la description d'Iberville et pour celle d'Upshire. L'ancrage du thème-titre se fait en tout début de séquence, et par le biais, non pas du toponyme, mais de l'hypéronyme « village » précédé de l'article de notoriété « le ». En l'absence de tout référent anaphorique[7], ce dernier convoque tout naturellement la connotation de village par excellence. En fait, l'identification formelle des deux localités passera par l'opération dite d'*affectation-reformulation*. Elle interviendra en fin de segment, et même au tout dernier mot de la description[8], avec l'apparition d'un toponyme (Upshire) ou d'un substitut toponymique (pour Iberville, l'étiquette démographique « [village des] Huttérites »[9]). Dans les deux cas, l'affectation-reformulation va souligner l'impact exceptionnel de l'objet sur la descriptrice. Dans le cas d'Iberville, la clôture – « Tels me sont apparus les Huttérites[10] »– semble jouer avec les mots : bien que tout à fait conventionnelle, cette clôture suggère, de surcroît, une véritable *épiphanie*. Quant à Upshire, la clôture (du premier paragraphe) ne décrit rien de moins qu'un *coup de foudre* : « j'aimai instantanément Upshire ». Les deux villages semblent donc répondre implicitement à une *attente*.

Du pôle Iberville au pôle Upshire, les descriptions de villages sont schématisées de telle sorte que le thème-titre « village » figure, dans plus de la moitié des cas, en position d'ancrage. Naturellement, la présence éventuelle de l'article défini, par exemple dans la description de Toutes-Aides (« Le petit village de Toutes-Aides se tenait... » [Roy, 1992 : 159]), ne connote plus l'excellence puisque l'adjonction du toponyme joue un rôle forcément réducteur. En l'absence d'ancrage, il faut souvent chercher le mot « village » (ou un de ses synonymes), accompagné ou non du toponyme, dans le segment narratif qui précède la description, en guise de thème-titre *annoncé*. C'est le cas, notamment, pour Rorketon, Dunrea, Fort Renonciation, Horizon, Sweet Clover, Codessa ou encore Ély. Au fil de l'œuvre, l'affectation et/ou reformulation du toponyme se fait de plus en plus rare. Cette tendance semble se dessiner à partir de *La route d'Altamont*. Sous l'angle du descriptif, ce dernier texte semble constituer un moment crucial de l'œuvre. Nous le vérifierons tantôt en affinant notre étude de l'implantation.

L'analogie technique presque parfaite entre les deux séquences descriptives du début et de la fin de l'œuvre conforte le statut de village comme objet préoccupant, ce que laissait déjà entendre la fréquence du mot. Mais les modalités de l'analogie (emploi de l'article de notoriété sans antécédent susceptible de connoter l'idée de village par excellence ; affect de l'objet décrit sur la descriptrice) permettent désormais d'établir le principe d'une quête, non seulement factuelle, mais *allégorique* : le village est plus qu'un objet, c'est un art de vivre.

Si la volonté croissante de camouflage sur le plan de l'implantation peut trahir une évolution d'ordre tactique, ou esthétique (soigner le *lié* au détriment d'une ségrégation, trop académique peut-être, des types de discours), elle peut aussi s'expliquer, sur le plan sémantique, par la présence d'un itinéraire spirituel. En effet, si la description de village tend, au fil de l'œuvre, à s'identifier à une réflexion *en action* sur l'objet décrit – une quête, avec ses péripéties et ses vicissitudes – elle acquiert *ipso facto* un statut quasiment narratif et ne saurait, dès lors, s'afficher en alinéa, comme un fragment aisément repérable et escamotable à la lecture. Qui plus est, on peut prêter au souci croissant d'enchâssement de la description une fonction elle-même allégorique. Le caractère de plus en plus décevant des villages rencontrés sur la route modifie forcément la quête – après des prémices par trop prometteuses (le paradis huttérite) – mais, loin de l'oblitérer, la met *en attente* et *en latence*, jusqu'au moment où l'image du village rêvé va resurgir, de façon éclatante, sous les traits d'Upshire. Les analogies configuratives entre la description d'Iberville et celle d'Upshire contribuent alors à donner à la quête une structure cyclique : Upshire, c'est le paradis non seulement retrouvé – mais *redéfini* à travers les enseignements de la quête.

Ici encore, il ne serait pas inutile de convoquer l'onomastique, à titre étymologique ou paronymique, cette onomastique dont on sait pertinemment qu'elle intéresse la descriptrice, comme en font foi ses remarques ironiques sur Cardinal et Horizon (nous reviendrons sur ce dernier). Le hasard, semble-t-il, a bien fait les choses, qui circonscrit la recherche du « paradis » entre sa première évocation, le village des Huttérites (il est difficile de prononcer ce mot sans penser à l'utérus, paradis perdu par excellence) et son aboutissement à travers un nom anglais au préfixe providentiel (*Up*shire). Entre ces deux « crêtes », la quête passe en effet par un « creux », parfois littéral (Cardinal est un village « par terre », Roy, 1980 : 284), mais dont la meilleure illustration toponymique est sans doute le plaisant « Fort Renonciation » – d'autant plus oxymorique que l'idée de capitulation est vraiment peu compatible avec la vocation d'un fort. Le seul fait que Pierre soit attiré par ce nom peut signaler une dichotomie : les vicissitudes de la quête font que le toponyme associe métaphoriquement la ferme volonté de poursuivre l'objet (« Fort ») et la tentation de tout lâcher (« Renonciation »).

Quant à l'ancrage, la fidélité du descripteur royen au procédé entretient l'idée de la quête, d'une description à l'autre, par le rappel constant de l'hyperonyme : tout autant, sinon plus, que de villages à proprement parler, c'est de l'*idée* de village qu'il s'agit.

Le rapatriement du toponyme (ou de l'anthroponyme ou encore du « paratoponyme ») dans son lieu de prédilection, le début ou même l'antichambre de la description, prend un relief particulier si l'on se souvient que le village des Huttérites et Upshire ne sont identifiés qu'en fin de segment descriptif. Un village nommé d'emblée se trouve *illico* dans un atlas, référentiel ou fictif ; il est *quelque part* et peut difficilement prétendre, dès lors, au statut d'exemplarité, volontiers associé à l'utopie (sens étymologique du mot : *en aucun lieu*). Ainsi, le recours à l'affectation-reformulation aux deux extrémités de l'œuvre signale-t-il le début et la fin de la quête, en privilégiant l'idée d'excellence, tandis que le rapatriement du toponyme (ou de ses substituts) en position d'ancrage marque une péripétie inhérente au *topos* de la quête, la *traversée du désert* : la vanité de la quête s'exprime, au besoin, par l'attribution quasi immédiate d'un nom, même si la présence simultanée du mot « village » vient perpétuer le rêve.

Notre étude diachronique des descriptions de villages à travers l'implantation et la schématisation a permis de dégager l'idée de quête, idée que nous avions entrevue dans l'omniprésence du mot et, dans la diégèse, au plan actoriel. Pour étayer ce principe de cheminement isotopique, nous nous attarderons à présent sur deux autres opérations descriptives, l'aspectualisation et la mise en situation spatiale.

L'aspectualisation

L'aspectualisation, c'est la « fragmentation » de l'objet décrit en ses divers aspects : parties (la nomenclature) et propriétés (les prédicats qualificatifs et/ou fonctionnels) (Adam, 1993 : 109). Iberville et Upshire relèvent tous deux du *locus amœnus* : Iberville avec « sa paix chaude », sa « lumière », son « abondance », mais aussi son refus de la modernité, voire de l'urbanisation (on n'y trouve « ni magasin ni gare ni pompe à essence ni même de rues, encore moins d'enseignes ») (Roy, 1982 : 17) ; Upshire avec ses « cottages de pierre », sa « douce vieille petite église » et son « cimetière entre des ifs » (Roy, 1988b : 377). Mais ce havre de douceur qu'est Iberville n'est en vérité, rappelons-le, que le paradis de *l'autre* (« Tels [...] sont apparus les Huttérites » à une journaliste – *intruse* par excellence), coupé du monde, vivant en autarcie, géré par une population fortement typée et jalouse de son autonomie, tandis qu'à l'autre bout de la quête, Upshire sera enfin le paradis offert à tout venant et que Gabrielle n'aura aucune peine à s'approprier.

Entre ces deux idées du bonheur, la longue quête se déroule avec des fortunes diverses, mais généralement sans grand succès. En fait, les villages rencontrés en cours de route sont presque toujours des villages *pour ainsi dire*, « plus rien que des idées ou des fantômes, des façons » de village, pour parler comme Maître Jacques. On observera d'ailleurs qu'au fil de l'œuvre, bien que l'aspectualisation des parties et des propriétés fluctue quantitativement, la tendance d'ensemble est à la baisse, surtout à compter de *La montagne secrète*, à mi-chemin, et ce, jusqu'à *La détresse et l'enchantement*. L'idée d'évanescence convoque l'appareil stylistique de la diminution : les adjectifs indéfinis, les suffixes, le jeu des négations, et parfois même le pléonasme de fait, poussent l'objet à la limite du non-être. Portage-des-Prés est un « petit village insignifiant » (Roy, 1992 : 11). Fort Renonciation, n'est qu'une « bourgade » d'une « quinzaine de cabanes » (Roy, 1978 : 30). Le village sur la côte rassemble « quelques huttes et cabanes » (p. 125). Celui de grand-mère se résume à « quelques [...] petites maisons de planches » (Roy, 1969 : 15). Altamont est un « petit hameau se donnant l'air d'un village de montagne avec ses quatre ou cinq maisons » ; on notera l'humour toponymique : Altamont, le *haut mont*, n'est sûrement pas à la hauteur de ses prétentions (p. 208). Le village de l'Arctique, quant à lui, propose « quelques cahutes » et « sept ou huit autres pauvres maisons » (Roy, 1979 : 15). Le village des Blancs n'est « rien d'autre, [...] qu'une vingtaine de petites constructions jetées à tout hasard » (p. 247). Volhyn n'est « presque rien en vérité », un « lieu-dit » qui « a tenté un jour d'être un village » (Roy, 1987b : 153). Saint-Léon n'a ni banque ni chemin de fer ni hôtel ni magasin « important » (Roy, 1988b : 53). C'est un village qui « a l'air si endormi et désert qu'on aurait pu le croire frappé d'une sorte d'enchantement morose » (p. 53).

Certes, cette traversée du désert, ce catalogue de l'aléatoire semble ménager des surprises. Dunrea et Encinitas peuvent apparaître comme des paradis, mais toujours comme des paradis de l'autre, bien que l'auteur-narrateur-personnage soit plus ou moins impliqué : le premier de ces villages – un éden éphémère, promis aux flammes – a été construit par le père de la narratrice pour ses Petits-Ruthènes en Saskatchewan ; le deuxième, par son oncle Majorique en Californie.

Qu'Encinitas représente néanmoins une étape importante dans la quête du village, là encore l'examen narratologique nous fournit des indices. Nous pouvons parler d'un cheminement rhétorique Iberville/ Encinitas/Upshire, dans la mesure, d'abord, où Encinitas n'est pas non plus désigné par son toponyme, au moment de l'ancrage, mais présenté de façon périphrastique comme un *choix vital*. C'est « le petit coin du monde où avait vécu Majorique, [...] l'un des endroits de la terre » où « il était venu se fixer » (Roy, 1988a : 88). D'autre part, la description d'Ençinitas assortit rapidement d'un *mot-légende* le thème-titre « petit coin du monde ». Philippe Hamon entend par « mot-légende » le ou les mots qui « unifie[nt] la liste des prédicats » et qui fonctionnent comme « connotateur tonal (dysphorique ou euphorique) indexant la tonalité globale du système descriptif » (Hamon, 1993 : 153). Il s'agit ici du mot « éblouissement » (« Éveline eut un éblouissement ») dont les connotations rappellent celles d'épiphanie et de coup de foudre déjà notées à propos des deux autres villages (Roy, 1988 a : 88). À Encinitas comme à Iberville et Upshire, la rencontre de l'objet et de la descriptrice constitue un moment privilégié de la quête.

Mais c'est ce même mot-légende « éblouissement » qui va révéler les *limites* d'Encinitas comme village convoité et l'écarter de la quête. Encinitas est perçu comme splendide certes, mais excessif – sentiment corroboré par la présence, dans le narratif, de l'« orchidée », fleur excessive s'il en est : « Edwin cueillit pour [Éveline] une fleur étincelante. "C'est une orchidée, Auntie" » (p. 88). De surcroît, le mot « éblouissement » assume une fonction métalinguistique : comment décrire ce qui éblouit ? Cette même difficulté de décrire se manifeste encore au moment de l'aspectualisation. La description s'enlise dans une cascade de superlatifs : le village est « *le plus* fleuri, *le plus* abrité et *le plus* accueillant » (p. 88, nous soulignons). Les sens sont saturés : « Jamais elle n'avait respiré un air si léger, si parfumé » (p. 88). La saturation finit par modifier le style. La mise en situation spatiale donne lieu à un pléonasme : Encinitas est « complètement entouré de cimes plus hautes » (p. 88). Chez une styliste aussi pointilleuse que Roy, le pléonasme semble intentionnel. Un peu plus loin dans le texte, dans l'évocation d'un paysage, la difficulté à enregistrer les impressions, et par là-même à décrire, est imputée à la nature paroxystique des lieux : « L'air devint encore plus léger. La montagne verdoyante, les fleurs exquises, ce ciel d'été quand ce devrait être l'hiver, c'en était trop sans doute pour Éveline » (p. 93). La proposition descriptive, « un air si léger, si parfumé », définit l'excès comme une combinaison paradoxale de légèreté et de lourdeur (essentiellement olfactive), qui appelle l'idée d'assoupissement, de léthargie, corroborée peut-être par ces « grandes corolles blanches comme neige [qui] pendaient des arbres » (p. 88), possible intertexte poétique du lotus blanc, fleur de l'oubli. Encinitas est un espace onirique qui autorise toutes les fantaisies et même le merveilleux. L'oncle Majorique, qui a réussi en cinq ans le miracle de réunir sa famille sur la même colline où cinq à six mille arbres ont été plantés par ses soins et à faire marcher le petit Roberto atteint de poliomyélite, ne s'est-il pas construit un télescope derrière chez lui, échafaudant du même coup sur les voyages interplanétaires et sur l'éternité de fascinantes hypothèses ? Il sera inhumé en haut d'une colline, dans un « vieux cimetière indien », sur « le site d'un ancien village abandonné » (p. 89). Si le texte semble jouer ici sur une idée reçue, celle de la Californie comme lieu de tous les possibles, pour ne pas dire de toutes les extravagances, on notera surtout qu'Encinitas, du fond de sa cuvette, ne peut ouvrir que vers le haut.

D'autre part, si Encinitas est d'abord perçu comme un paradis terrestre, on ne saurait trop interroger la polysémie de certaines évocations. Les mots « ce ciel d'été quand ce devrait être l'hiver » semblent exprimer non seulement la merveille d'un printemps éternel, mais aussi un manque. En fait, tout joue ici sur le verbe « devoir ». À la première lecture, il semble s'agir d'une entorse à la logique climatique : un ciel d'été en plein hiver. On sait cependant que l'hiver est souvent perçu, dans les régions septentrionales, à la fois comme une épreuve et comme un besoin. L'absence d'hiver est un grief bien connu des Canadiens émigrés sous des cieux plus cléments[11]. On peut ainsi comprendre : un « ciel d'été quand [il *faudrait* que ce soit] l'hiver ». La frustration climatique peut s'ériger alors en allégorie moralisante : le printemps éternel ne saurait satisfaire quiconque veut garder à l'esprit – et sous les yeux – le spectacle de la condition humaine. En fait, l'insistance sur le prédicat « légèreté » reprend un préjugé tenace : l'idée que les climats chauds entretiennent la superficialité[12] et favorisent l'ataraxie. En fin de compte, la tentation de considérer Encinitas comme le village idéal sera repoussée au nom d'une exigence de nordicité – mais d'une nordicité surtout allégorique : le besoin hivernal est en fait un besoin de lucidité, une incapacité à se désengager des questions humaines. C'est en abordant la description d'Upshire, le village d'élection, sous l'angle de la *mise en situation spatiale*, qu'on verra vraiment ce qui manquait à Encinitas.

La mise en situation spatiale

Outre l'implantation, la schématisation et l'aspectualisation, on observe que la mise en situation spatiale des villages contribue, elle aussi, à jalonner la quête. La mise en situation spatiale d'Iberville et celle d'Upshire montrent deux villages en harmonie avec leur environnement physique, un environnement physique qui conforte leur intégrité. Iberville « s'élève dans les champs de blé, parmi les vergers, les ruches, la couleur des avoines et le tenace parfum du trèfle d'odeur » (Roy, 1982 : 17). Upshire, quant à lui, « se présent[e] en légère pente douce allant se perdre dans un beau ciel dégagé » cependant qu'« [e]n arrière, la forêt l'accompagn[e] en le serrant d'assez près » (Roy, 1988b : 377), comme pour garantir sa cohésion. L'évocation du « tenace parfum » et le geste de « serr[er] d'assez près » renforcent ce sentiment d'intimité entre le village et ses alentours en lui prêtant une tournure quasiment sensuelle.

Inversement, les villages qui jalonnent la traversée du désert sont souvent condamnés à la dissémination, comme soumis à une force centrifuge, et souvent en guerre – littéralement ou métaphoriquement – avec leurs alentours. Ces traits sont parfois évoqués dans la même description. Bâti sur de « nombreux bas-fonds envahis par les roseaux », le petit village de Toutes-Aides, « un peu éparpillé », est décrit, au moment de la reformulation globale, comme « une remarquable conquête sur la brousse, l'eau croupissante et les cailloux » (Roy, 1992 : 159). Dunrea, avec sa « vingtaine de maisonnettes [...] *éparses* dans la verdure », a jailli d'un « morne pays d'herbe épineuse, de sauvage végétation » (Roy, 1980 : 143, 144). À Fort Renonciation, les cabanes sont « planté[es] de guingois sur le roc qui émergeait partout en plaques grises, ou monté[es] sur pilotis dans la boue » (Roy, 1978 : 31). Ailleurs, le principe de dissémination convoque le saugrenu, l'étrange ou même le fantastique, par exemple dans la description du village sur la côte qui présente, quant à lui, de « hauts pylônes d'acier » et d'« étranges machines en plein vent suspendues » (p. 125). Très vite, le fantastique se colore d'épouvante et débouche sur les images de guerre, quand, par exemple, apparaît dans la description « tout un attirail de fil de fer, de chaînes gémissantes, de disques tournants », qui « prétend[ent] surprendre au loin, sur la mer ou sous la mer, l'approche de l'ennemi » (p. 125). On apprend du village de grand-mère que « de tous côtés la plaine [le] cernait, sauf à l'est » (Roy, 1969 : 15). Altamont, « logé tout entier dans une *crevasse* parmi des sapins débiles », donc plus « creux » encore que Cardinal – un village « par terre », en dépit de son nom[13] (Roy, 1980 : 284), est un hameau de « quatre ou cinq maisons *agrippées à des niveaux divers au sol raboteux* » (Roy, 1969 : 208, nous soulignons). Parfois, la dissémination suggère l'aléatoire, au sens premier du terme (le coup de dés) : la « vingtaine de petites constructions » du village des Blancs semblent avoir été « jetées au hasard comme une poignée de dés à jouer, dont les uns seraient tombés dans les creux du pays bosselé, d'autres demeurés en suspens sur la crête du roc affleurant çà et là » (Roy, 1979 : 247, 248). C'est « au-delà d'une plaine *sauvage* » que se dessine Volhyn, avec ses « fils téléphoniques que l'on entend gémir dans l'air inexplicablement » (Roy, 1987b : 153). Autour de Codessa « rôd[ent] l'infini silence et la *sauvagerie* de la plaine » (p. 195). Le village de fermiers dispose d'une chapelle « construite dans un esprit d'antagonisme contre le village voisin et sa trop riche église » ; sa grand-rue est « presque toujours livrée au vent seulement », « plaintive et poudreuse » (Roy, 1983 : 93). Hormis son hôtel, Marchand n'offre que de « misérables cabanes en bois dispersées de loin en loin sur un sol sablonneux, entre des touffes d'épinettes maigriottes » (Roy, 1988b : 108).

En fin de compte, si l'on confronte les descriptions d'Upshire, d'Encinitas et d'Iberville, c'est la mise en situation du village anglais qui révèle enfin ce qu'est, chez Roy, le village de prédilection. Il doit à la fois *exposer* et *protéger*, c'est-à-dire satisfaire conjointement le besoin d'expansion et celui de repli, l'ouverture au monde et l'instinct de conservation. Est-ce pure coïncidence (et providence) onomastique si la descriptrice a choisi un village qui s'appelle *Up*shire et qui est situé au milieu d'un paysage de « downs » (Roy, 1988b : 377) ? Et si le diminutif « encinitas » subordonnait la sécurité à la réduction de l'espace[14] ? Protégé par la forêt qui « [e]n arrière, [...] l'accompagn[e] en le serrant d'assez près », Upshire, lit-on aussitôt, avait « en face, [...] pour lui le large » (p. 377). Le village, qui « se trouv[e] à contempler sans fin une vaste étendue de plaine » (p. 377), est un belvédère propice à la pensée. Cet équilibre délicat, c'est ce que ne savent réaliser des villages comme Portage-des-Prés, Rorketon, le village sur la côte, Codessa, le village de fermiers, Ély, Saint-Léon, et même Encinitas, qui ont ou semblent avoir un *cœur* si on en croit leur configuration, mais se ferment résolument au monde – ni d'autres comme le village « esquimau » ou encore Horizon et Sweet Clover qui, rectilignes, ouverts aux quatre vents, n'ont pas d'âme. Quant à Iberville, décrit comme un village « parmi », il séduit mais ne *débouche* en vérité sur rien d'autre que lui-même. Ainsi, le village de prédilection va perdre, au fil de l'œuvre, ce côté exclusif (au sens fort du terme) qui caractérise le rêve juvénile, pour aboutir à un équilibre *adulte* entre deux exigences opposées : la *sécurité* et l'*ouverture*.

D'autre part, Upshire satisfait, même au-delà des mers, l'exigence de nordicité – exigence à laquelle le village d'Encinitas ne pouvait répondre. La configuration spatiale du bourg anglais devient révélatrice « pour qui l'abord[e] [...] du côté sud » (p. 377). Certes, comme les villages des Prairies, notamment Horizon (dans « Où iras-tu Sam Lee Wong ? »), il est « aligné en entier [...] sur un seul côté de la rue » (p. 377), mais à la façon d'un public de théâtre. En face de lui, « la plaine roul[e] en larges, souples et magnifiques ondulations » et les *downs* forment « une haute houle de terre qui court et court comme sous un même vent qui la pousserait dans le même sens depuis des temps immémoriaux » (p. 377). On aura reconnu en filigrane, à travers les métaphores maritimes, un autre paysage, celui du Manitoba[15].

Toujours dans la description d'Upshire, les opérations d'assimilation, surtout les comparaisons et les métaphores, privilégient l'idée de pesanteur, quand il s'agit d'évoquer les nuages qui passent (« la masse des grands nuages blancs ») ou les environs immédiats du village (« puissante houle de terre », « troupeaux » semblables à « de grosses roches semées dans les champs ») (p. 377-378). Si la légèreté d'Encinitas le vouait tout naturellement à l'apesanteur, la *densité* d'Upshire maintient le village au ras des contingences terrestres et entretient une inquiétude, dont un échantillon se présente un peu plus loin dans le texte : « l'expansion vers Upshire du grand Londres métropolitain » (p. 378), au détriment de la forêt.

Enfin, si Encinitas se révèle comme un *trop*, Upshire figure une *adéquation*. Les « ondulations » du paysage, précise la descriptrice,

« me soulevèrent d'un élan en quelque sorte égal à leur propre élan » (p. 377). Ainsi, le corrélatif objectif figure à Encinitas un déséquilibre, à Upshire un équilibre. Est-ce à dire que la vision d'Encinitas n'aura pas laissé de trace ? Un leitmotiv traverse les descriptions des trois villages qui jalonnent la quête, c'est celui des parfums : à Iberville, le village « s'élève [...] parmi [...] le tenace parfum du trèfle d'odeur » (Roy, 1982 : 17) ; à Encinitas, les omniprésents « parfums d'herbes, de fleurs et d'arbres fruitiers » ne cessent d'entrer dans la maison de Majorique (Roy, 1988a : 81), et à Upshire, le jardin de Century Cottage dégage « un tenace parfum de menthe [...], allié peut-être à celui du romarin » (Roy, 1988b : 378). De ce point de vue, Encinitas a peut-être, tout simplement, révélé et imposé les exigences d'un ordre sensoriel si peu sollicité dans le Nord.

Conclusion

S'il y a lieu de parler, chez Roy, de *système descriptif*, ce dernier peut se caractériser par le souci d'établir un jeu technique d'analogie ou d'opposition d'une description à l'autre. En d'autres termes, il aurait une fonction signalétique privilégiée. Il serait donc possible de distinguer chez Roy deux niveaux de lisibilité. L'attachement au principe de l'ancrage facilite certes la lecture ponctuelle, mais dégage surtout des isotopies et en décrit les vicissitudes, ce qui va bien au-delà du simple souci d'identification du thème-titre. La quête du village idéal par l'auteur-narrateur-personnage s'inscrit, diachroniquement, dans le descriptif – de *Fragiles lumières de la terre* à *La détresse et l'enchantement* – et débouche sur une prise de position existentielle. Le village idéal doit répondre à une double exigence : il doit offrir la sécurité d'un *nid*, mais d'un nid ouvert au monde, un *nid-belvédère* en somme. Cette double nécessité conforte l'hypothèse d'Albert Le Grand pour qui l'œuvre royenne « renvoie sans cesse l'image d'un être double, tiraillé entre le besoin d'être ici en sécurité et là en liberté, ici à l'ombre et là dans la lumière... » (Le Grand, 1965 : 39). Cette dualité qui a profondément marqué le XXe siècle, c'est en fait l'*exil* et le *royaume* de Camus. Simplement, elle est exacerbée ici par le milieu physique canadien qui, plus que d'autres peut-être, insuffle à la fois le besoin de découvrir et le repli sécuritaire.

Si la quête du village idéal s'achève dans *La détresse et l'enchantement* avec la découverte d'Upshire, cela ne veut pas dire qu'elle s'en tienne là. Au cœur même de la description d'Upshire se greffe une comparaison entre le village anglais et un village de la plaine canadienne : « En fait, ce qui doit être plutôt rare en Angleterre, il était aligné en entier [...] sur un seul côté de la rue. Tout comme cet *horizon de l'Ouest canadien* que je décrirais dans *Où iras-tu Sam Lee Wong ?*, il se trouvait à contempler sans fin une vaste étendue de plaine » (Roy, 1988b : 377, nous soulignons). Pour Jean-Louis Chiss, le retour sur les ouvrages antérieurs à l'autobiographie s'explique par le fait que, dans un « itinéraire d'écrivain », le récit de vie « figure souvent, sinon la fin de l'œuvre, du moins le moment de la réflexivité » (Chiss, 1985 : 17). Il semble donc que la conquête du paradis chez Roy s'accompagne d'un bénéfice cognitif : la *réhabilitation* partielle d'Horizon, un des villages rencontrés dans le « désert ». Le destin typographique a voulu qu'une coquille (dirons-nous, révélatrice ?) prive ce dernier toponyme de sa majuscule, tant dans l'édition parue chez Boréal de 1984 (Roy, 1988b : 377) et de 1988b (p. 377) que dans la traduction de Patricia Claxton, *Enchantment and Sorrow*, publiée chez Lester & Orpen Dennys (Roy, 1987a : 305). Il faudra se reporter au texte « Où iras-tu Sam Lee Wong ? » dans *Un jardin au bout du monde* pour expliquer la coquille... ou décider que ce n'en est pas une. On peut y lire, à la fin du chapitre premier : « Ainsi apprit-il [Sam Lee Wong] qu'il avait choisi la Saskatchewan et, en Saskatchewan, de lier sa vie à un village qui, curieusement, s'appelait Horizon » (Roy, 1987b : 65). Et encore ceci, au début du deuxième chapitre : « En fait, ce n'était pour ainsi dire que cela : un horizon si éloigné, si seul, si poignant, qu'on en avait encore et encore le cœur saisi » (p. 67). Le toponyme et la métaphore semblent indissociables dans l'esprit de la descriptrice. En tout état de cause, la découverte du village idéal – simultanément *nid* et *belvédère* – permet à la descriptrice de jeter un regard nouveau sur Horizon et de reconnaître ses mérites, modestes mais prometteurs. Le village est aligné « sur le même côté de [la] grand-route, face aux champs sans limites, et comme disposé pour attendre un lever de rideau jusqu'à ce que éternité s'ensuive » (p. 70), mais on observe une « chaîne de petites collines, assez loin sur la droite, [qui] arrêtait enfin, de ce côté, la fuite du pays » (p. 67) et qui garantissait « une sorte de refuge contre la sensation de vertige que suscitait, à la longue, la plate immobilité » (p. 67). En somme, Horizon est une ébauche du *nid-belvédère*. La métaphore du spectacle théâtral, explicite dans la description d'Horizon, latente dans celle d'Upshire, subit, de l'une à l'autre, une évolution révélatrice. S'agissant d'Horizon, elle exprime l'inquiétude et la frustration. Le village attend « un lever de rideau » sans cesse différé –

étant bien entendu qu'en tout état de cause il n'y aurait rien à voir[16]. Dans la description d'Upshire, l'image implicite du théâtre est franchement euphorique. Le village-spectateur est situé « en légère pente douce », du côté du *spectacle* – car quelque chose, littéralement, se *déroule* (la plaine « roulait en larges, souples et magnifiques ondulations »). Adossé à la forêt qui le *moule* (« en arrière », « en le serrant d'assez près »), comme calé dans son fauteuil, il assiste cependant à un spectacle qui n'est pas forcément reposant : pour « magnifiques » qu'elles soient, les ondulations du paysage n'en sont pas moins « larges ». Nous voici loin des villages marqués par le *petit*, le *maigriot*, l'*éparpillé*, l'*insignifiant*.

Ainsi, la quête du village n'est pas seulement prospective, elle est aussi rétrospective, ou mieux encore, réflexive, pour citer Chiss, puisqu'il y a réhabilitation partielle du village d'Horizon sur le plan de la mise en situation spatiale. Mais Horizon serait-il un cas d'espèce ? Deux autres villages de *La détresse et l'enchantement*, Marchand et Cardinal, s'inscrivent dans la démarche rétrospective. La description de Marchand évoque « L'enfant morte » (*Cet été qui chantait*). Celle de Cardinal amène la narratrice à parler de *Rue Deschambault* et de *Ces enfants de ma vie*. La démarche de réhabilitation prend alors une tournure spéculaire. Marchand provoque une prise de conscience, celle de l'« aptitude » du « je » à « convertir en récits » des périodes de sa vie et la valorisation des moments les plus difficiles de cette vie : « Et ceux qui m'auraient fait me sentir la plus seule seraient souvent ceux qui me gagneraient le plus de cœurs inconnus » (Roy, 1988b : 108). Pour sa part, la description de Cardinal entraîne une réflexion sur la problématique de la vraisemblance dans le descriptif :

> Mais nulle part je ne me suis attachée à le décrire absolument ressemblant. C'est une tâche dont je pense être incapable maintenant. [...]. Décrire fidèlement une maison telle que sous mes yeux, [...] comme je l'ai fait dans *Bonheur d'occasion*, à présent m'ennuierait mortellement. Je m'y astreignais alors, par souci de réalisme, il est vrai, mais aussi pour retenir une imagination trop débordante et me contraindre à examiner toutes choses pour ne pas glisser à la paresse de décrire sans fondements sûrs (Roy, 1988b : 111-112).

Ainsi, le côté à la fois rétrospectif et réflexif de la quête du village aboutit aussi à une prise de conscience des techniques d'écriture. Sans faire de Gabrielle Roy une théoricienne – on pourrait voir ici l'esquisse d'une poétique du descriptif.

NOTES

1. Version remaniée d'une communication faite au seizième congrès biennal de l'Association for Canadian Studies in the United States (ACSUS), qui s'est déroulé à San Antonio (Texas) du 14 au 18 novembre 2001.
2. Ce reportage a été publié une première fois en novembre 1942 dans le *Bulletin des agriculteurs*, vol. 38, n° 11, p. 8, 30-32, sous le titre « Peuples du Canada. Le plus étonnant : les Huttérites », puis repris en 1978 dans *Fragiles lumières de la terre*, Montréal, Stanké, p. 17-31 (réédité en 1982).
3. Voici le détail de notre corpus : **1. Iberville**, « Les Huttérites », *Fragiles lumières de la terre*, 1982, p. 17 ; **2. Portage-des-Prés**, « Les vacances de Luzina », *La petite poule d'eau*, 1992, p. 11-12 ; **3. Rorketon**, « Les vacances de Luzina », *La petite poule d'eau*, 1992, p. 23 ; **4. Toutes-Aides**, « Le capucin de Toutes-Aides », *La petite poule d'eau*, 1992, p. 159 ; **5. Dunrea**, « Le puits de Dunrea », *Rue Deschambault*, 1980, p. 143-144 ; **6. Cardinal**, « Gagner ma vie… », *Rue Deschambault*, 1980, p. 284 ; **7. Fort Renonciation**, *La montagne secrète*, 1978, p. 30-31 ; **8. Le village sur la côte**, *La montagne secrète*, 1978, p. 125 ; **9. Le village de grand-mère**, « Ma grand-mère toute-puissante », *La route d'Altamont*, 1969, p. 15 ; **10. Altamont**, « La route d'Altamont », *La route d'Altamont*, 1969, p. 208 ; **11. Le village de l'Arctique**, « Les satellites », *La rivière sans repos*, 1979, p. 15 ; **12. Le village « esquimau »**, « La rivière sans repos », *La rivière sans repos*, 1979, p. 152 ; **13. Le village des Blancs**, « La rivière sans repos », *La rivière sans repos*, 1979, p. 247-248 ; **14. Marchand**, « L'enfant morte », *Cet été qui chantait*, 1993b, p. 143 ; **15. Horizon**, « Où iras-tu Sam Lee Wong ? », *Un jardin au bout du monde*, 1987b, p. 69-70 ; **16. Sweet Clover**, « Où iras-tu Sam Lee Wong ? », *Un jardin au bout du monde*, 1987b, p. 127 ; **17. Volhyn**, « Un jardin au bout du monde », *Un jardin au bout du monde*, 1987b, p. 153-154 ; **18. Codessa**, « Un jardin au bout du monde », *Un jardin au bout du monde*, 1987b, p. 195-196 ; **19. Le village de fermiers**, « La maison gardée », *Ces enfants de ma vie*, 1983, p. 93 ; **20. Ély**, *Ély ! Ély ! Ély !*, 1988a, p. 103 ; **21. Encinitas**, *De quoi t'ennuies-tu, Éveline ?*, 1988a, p. 88 ; **22. Saint-Léon**, *La détresse et l'enchantement*, 1988b, p. 53-54 ; **23. Marchand**, *La détresse et l'enchan-*

tement, 1988b, p. 108 ; **24. Cardinal**, *La détresse et l'enchantement*, 1988b, p. 111 ; **25. Upshire**, *La détresse et l'enchantement*, 1988b, p. 377-378.

La plupart du temps, c'est la première description du lieu qui nous occupera, dans la mesure, d'abord, où elle illustre la première rencontre d'un lieu et d'un regard ; dans la mesure, ensuite, où elle est la plus étoffée et présente, par conséquent, un plus grand assortiment de techniques descriptives ; dans la mesure, enfin, où elle peut s'assortir d'un suspense (la vocation de l'endroit, sa population, son nom) susceptible d'entraver certaines opérations, l'ancrage par exemple.

Certaines mises au point sont nécessaires. On notera d'abord que la plupart des villages étudiés sont désignés dans le texte par leur toponyme, tandis que deux villages sont identifiés par une périphrase anthroponymique (le village « esquimau », le village des Blancs). La désignation « village sur la côte » (un *para*toponyme, si l'on veut) passe par une mise en situation spatiale et celle de « village de fermiers » par une mise en situation sociologique. Quant à ce dernier, André Fauchon, dans son article « Excursion géo-littéraire dans les régions de la Petite Poule d'eau et d'Altamont », l'identifie à Cardinal (1996 : 748-749), ce que confirme la narratrice de *La détresse et l'enchantement* (Roy, 1988b : 111). Nous avons préféré conserver le *distinguo*.

La description de Cardinal, dans *Rue Deschambault,* nous apprend que le village est « presque entièrement rouge » et que les habitants « avaient tous peint le[s] murs » de leurs maisons de cette couleur (Roy, 1980 : 284). En revanche, la description du « village de fermiers » (le présumé Cardinal), dans *Ces enfants de ma vie,* précise que seuls les « silos à blé », la « citerne à eau » et une « *caboose* » sont de couleur rouge, les maisons des villageois étant pour « la plupart en bois *non peint*, décrépites avant d'être finies » (Roy, 1983 : 93, nous soulignons). Le « village de fermiers » s'inspire donc bien du Cardinal dépeint dans *Rue Deschambault*, mais lorsqu'on tient compte de ses aspects (la propriété « rouge »), on a peine à croire qu'il puisse s'agir du même village. Enfin, pour faciliter le repérage, nous avons dû baptiser deux villages demeurés anonymes dans le texte : nous les appellerons « le village de grand-mère » et « le village de l'Arctique ».

4. Pour Resch, Saint-Henri « possède à la fois un mode de vie et une mentalité villageoises [*sic*] » (Resch, 1978 : 245). Le sociologue Michel Blondin est du même avis : « On savait [...] se réjouir, à la façon des gens de la campagne, dans des veillées et des danses populaires. Les relations familiales demeuraient importantes » (1965 : 285). Saint-Henri, ajoute Resch, « se présente, à travers les termes qui le désignent dans sa morphologie, sous une forme conflictuelle ; en effet les mots les plus souvent utilisés sont : *faubourg, village* et *quartier.* C'est dire que Saint-Henri apparaît dans l'esprit de ses habitants comme un mélange de ruralité et d'urbanité » (Resch, 1978 : 245). Voir aussi à ce sujet : Monique Genuist (1966) ;

Ben-Z. Shek (1971) ; Jean-Pierre Boucher (1977) ; Paul-Émile Roy (1989) et Hilligje van't Land (1999). Quant à nous, ces réflexions sur les mœurs de Saint-Henri, si judicieuses soient-elles, ne suffisent naturellement pas à nous faire considérer ce faubourg de Montréal comme un village au sens convenu du terme.

5. Voici la fréquence d'apparition du mot « village » dans les descriptions de villages : Iberville (une fois), Portage-des-Prés (deux fois), Rorketon (une fois), Toutes-Aides (deux fois), Dunrea (une fois), Cardinal (deux fois), Fort Renonciation (*nil*), le village sur la côte (une fois), le village de grand-mère (une fois), Altamont (une fois), le village de l'Arctique (une fois), le village « esquimau » (une fois), le village des Blancs (une fois), Marchand (une fois), Horizon (une fois), Sweet Clover (*nil*), Volhyn (une fois), Codessa (*nil*), le village de fermiers (cinq fois), Ély (*nil*), Encinitas (une fois), Saint-Léon (trois fois), Marchand (*nil*), Cardinal (une fois) et Upshire (une fois).

6. Cinq segments seulement en sont exempts (Fort Renonciation, Sweet Clover, Codessa, Ély et Marchand), encore que pour trois d'entre eux (Sweet Clover, Codessa et Ély) le mot « village » figure peu avant la description.

7. Pour ce qui est d'Iberville, l'objet décrit ne peut faire partie de la mémoire intratextuelle du lecteur, puisque le segment étudié ouvre à la fois le texte « Les Huttérites » et le livre, *Fragiles lumières de la terre*, ce qui invalide tout effort anaphorique visant à identifier le village en question. Qui plus est, le titre du reportage ne présume pas forcément du contenu de la description. Nous en avons la preuve quand la descriptrice, dans le segment, prête à ces gens « un air quaker » – évoquant ainsi un autre groupe religieux, ce qui brouille le processus d'identification. En ce qui concerne Upshire, du fait même que le toponyme est mentionné pour la première fois au chapitre X de *La détresse et l'enchantement* (Roy, 1988b : 374) et que la description d'Upshire ouvre le chapitre suivant (p. 377), il est peu probable que le lecteur ait gardé en mémoire le nom de ce petit village au moment où il aborde ce segment. Ces circonstances particulières permettent de dire, comme on va le voir, que le toponyme est dégagé *de facto* en fin de séquence par affectation-reformulation.

8. Ce qui entretient jusqu'à la fin du segment la connotation d'excellence.

9. Le toponyme « Iberville » interviendra un peu plus loin dans le narratif, en appoint à l'anthroponyme-thème-titre « [le village des] Huttérites ». Cette divulgation tardive s'explique peut-être en partie du fait que le nom Iberville est tant soit peu incongru pour une localité huttérite, d'abord parce qu'il perpétue le souvenir d'un navigateur et gouverneur français, Pierre Le Moyne d'Iberville, ensuite parce que le suffixe (« ville ») ne semble guère approprié pour une communauté de paysans très peu sensibles aux valeurs urbaines.

10. Il faut dire que le passé composé « sont apparus » réinscrit la séquence dans une chronologie. Il s'agit non seulement de la description d'un village, mais aussi de celle d'un *événement* : la première rencontre de la descriptrice et des Huttérites. Mieux encore, le verbe « apparaître », suggérant une apparition, voire une révélation (au sens d'épiphanie), situe ce village à la lisière du fantastique. Pour preuve, cet aveu de la narratrice, plus loin dans le texte : « Je n'étais pas prête à la sensation brusque qui me guettait au détour du chemin : *cette sensation de pénétrer d'un coup, d'un seul pas, dans l'inconnu* », et aussi : « *Il me semble, encore souvent, que j'ai rêvé cet endroit* comme Hilton rêva son Shangri-La entre les monts du Tibet » (Roy, 1982 : 18, nous soulignons).
11. Blanche Howard écrit : « *To tell you the truth, in California I missed the wildness of the Canadian winter. There is something stirring about a blizzard, something elemental about pitting oneself against driving, stinging snow in below zero temperatures. I often think it accounts for the general peacefulness of the Canadian character, all the aggressive energy has been used up in battling and surviving nature* » (« À vrai dire, en Californie, la brutalité de l'hiver canadien m'a manqué. Il y a quelque chose d'émoustillant dans le blizzard, quelque chose de primaire à s'acharner à conduire sur les routes, à se laisser cribler le visage de neige par un froid glacial. Je pense souvent que cela explique le tempérament généralement paisible des Canadiens ; toute l'agressivité s'est épuisée à combattre la nature et à lui survivre ») (Heidorn, 2010). (Nous traduisons.)
12. Charles Baudelaire, lui-même, pousse la théorie des climats jusqu'à écrire : « Homme du Midi, à qui la nature claire ne peut pas donner le goût des secrets et des mystères, – homme frivole [...] » (1975 : 547).
13. En matière de « creux », la palme semble revenir aux villages de l'Assiniboine, dans « Le Manitoba » (*Fragiles lumières de la terre*), dont la description collective donne lieu à redondance : ils sont « à plat sur le sol nivelé » (Roy, 1982 : 115).
14. « Encinitas » veut dire « petits chênes verts » en espagnol. On pense à la garrigue algéroise où Camus situe son royaume.
15. Carol J. Harvey a relevé, dans les descriptions des Prairies, une prédilection pour les « analogies avec la mer » (1993 : 183).
16. L'allégorie a acquis ses lettres de noblesse chez Baudelaire, dans les pièces LIV et CXXV des *Fleurs du mal* :

> Mais mon cœur, que jamais ne visite l'extase,
> Est un théâtre où l'on attend
> Toujours, toujours en vain, l'Être aux ailes de gaze!
> « L'Irréparable » (1975 : 54-55).

J'étais comme l'enfant avide du spectacle,
Haïssant le rideau comme on hait un obstacle...
Enfin la vérité froide se révéla :

J'étais mort sans surprise, et la terrible aurore
M'enveloppait. – Eh quoi ! n'est-ce donc que cela?
La toile était levée et j'attendais encore.
« Le rêve d'un curieux » (1975 : 128-129).

BIBLIOGRAPHIE

ADAM, Jean-Michel (1993). *La description*, Paris, Presses de l'Université de France.

ADAM, Jean-Michel, et André PETITJEAN (1982). « Les enjeux textuels de la description », *Pratiques*, vol. 34, p. 93-117.

ADAM, Jean-Michel, et André PETITJEAN (1989). *Le texte descriptif : poétique historique et linguistique textuelle*, Paris, Nathan.

BAUDELAIRE, Charles (1975). *Œuvres complètes*, t. I : *Les Fleurs du Mal, Poésies diverses, Le Spleen de Paris, Les Paradis artificiels, Essais et nouvelles, Théâtre, Journaux intimes, Carnet,* éd. Claude Pichois, Paris, Gallimard, coll. « Bibliothèque de la Pléiade ».

BLONDIN, Michel (1965). « L'animation sociale en milieu urbain : une solution », *Recherches sociographiques*, vol. 6, n° 3, 1965, p. 283-304.

BOUCHER, Jean-Pierre (1977). « Regarder passer le train : Bonheur d'occasion de Gabrielle Roy », *Instantanés de la condition québécoise : études de textes*, Montréal, Hurtubise HMH, p. 71-89.

CHISS, Jean-Louis (1985). « Raconter et témoigner : le vécu à la croisée du théorique et du politique », *Pratiques*, vol. 45, p. 13-31.

FAUCHON, André (1996). « Excursion géo-littéraire dans les régions de la Petite Poule d'eau et d'Altamont », dans André Fauchon (dir.), *Colloque international « Gabrielle Roy »*, Actes du colloque soulignant le cinquantième anniversaire de *Bonheur d'occasion*, tenu au Collège universitaire de Saint-Boniface, Saint-Boniface, Presses universitaires de Saint-Boniface, p. 731-756.

GENUIST, Monique (1966). *La création romanesque chez Gabrielle Roy*, Montréal, Le Cercle du Livre de France.

HAMON, Philippe (1993). *Du descriptif*, Paris, Hachette Livre.

HARVEY, Carol J. (1993). *Le cycle manitobain de Gabrielle Roy*, Saint-Boniface, Éditions des Plaines.

HEIDORN, Keith C. (dir.) (2010). « Weather & Arts: The Elders Speak on Weather », *The Weather Doctor*, [En ligne], [http://www.islandnet.com/~see/weather/arts/wxquotes.htm] (17 avril 2011).

LE GRAND, Albert (1965). « Gabrielle Roy ou l'être partagé », *Études françaises*, vol. 1, n° 2, p. 39-65.

MORENCY, Jean (1997-1998). « Deux visions de l'Amérique », *Études françaises*, vol. 33, n° 3, p. 67-77.

RESCH, Yannick (1978). « La ville et son expression romanesque dans *Bonheur d'occasion* de Gabrielle Roy », *Voix et Images*, vol. 4, n° 2, p. 244-257.

RICARD, François (1996). « L'œuvre de Gabrielle Roy comme "espace autobiographique" », dans Martine Mathieu (dir.), *Littératures autobiographiques de la francophonie*, Actes du colloque international, tenu à Bordeaux les 21, 22 et 23 mai 1994, Paris, C.E.L.F.A. et L'Harmattan, p. 23-30.

ROY, Gabrielle (1969). *La route d'Altamont*, Montréal, Hurtubise HMH.

ROY, Gabrielle (1978). *La montagne secrète*, Montréal, Stanké.

ROY, Gabrielle (1979). *La rivière sans repos*, Montréal, Stanké.

ROY, Gabrielle (1980). *Rue Deschambault*, Montréal, Stanké.

ROY, Gabrielle ([1978] 1982). *Fragiles lumières de la terre*, Montréal, Stanké.

ROY, Gabrielle (1983). *Ces enfants de ma vie*, Montréal, Stanké.

ROY, Gabrielle (1984). *La détresse et l'enchantement*, Montréal, Éditions du Boréal.

ROY, Gabrielle (1987a). *Enchantment and Sorrow*, trad. Patricia Claxton, Toronto, Lester & Orpen Dennys.

ROY, Gabrielle (1987b). *Un jardin au bout du monde*, Montréal, Stanké.

ROY, Gabrielle (1988a). *De quoi t'ennuies-tu, Éveline ?*, suivi de *Ély ! Ély ! Ély !*, Montréal, Éditions du Boréal.

ROY, Gabrielle (1988b). *La détresse et l'enchantement*, Montréal, Éditions du Boréal.

ROY, Gabrielle (1992). *La petite poule d'eau*, Montréal, Éditions du Boréal.

ROY, Gabrielle (1993a). *Bonheur d'occasion*, Montréal, Éditions du Boréal.

ROY, Gabrielle (1993b). *Cet été qui chantait*, Montréal, Éditions du Boréal.

ROY, Gabrielle (1997). *Le temps qui m'a manqué*, Montréal, Éditions du Boréal.

ROY, Paul-Émile (1989). *Études littéraires : Germaine Guèvremont, Réjean Ducharme, Gabrielle Roy*, Montréal, Méridien, 1989, p. 49-87.

SHEK, Ben-Z. (1971). « L'espace et la description symbolique dans les romans "montréalais" de Gabrielle Roy », *Liberté*, vol. 13, 1971, p. 78-96.

VAN'T LAND, Hilligje (1999). « Analyse sociosémiotique des espaces romanesques dans *Bonheur d'occasion* », dans Marie-Andrée Beaudet (dir.), *Bonheur d'occasion au pluriel : lectures et approches critiques*, Québec, Éditions Nota bene, 1999, p. 101-138.

Discrimination et traitement préférentiel envers la communauté francophone immigrante : la recherche de logement des immigrants français et congolais à Toronto

Maryse LEMOINE
Université York

Afin de lutter contre les inégalités telle que la discrimination, il est nécessaire d'en comprendre les multiples facettes et conséquences. De nombreuses recherches portent sur la discrimination négative, mais peu de chercheurs se sont penchés sur les expériences de favoritisme. Cet article porte sur la discrimination et le traitement préférentiel vécus par des immigrants français et congolais dans leurs contacts avec la société d'accueil. L'étude montre comment ces expériences peuvent avoir un impact sur la recherche d'un logement à Toronto. En tant que deuxième destination en importance pour les immigrants francophones au Canada, la ville de Toronto est l'endroit idéal pour examiner les expériences des immigrants francophones en situation minoritaire en matière de logement.

Cette recherche porte donc sur les expériences d'immigrants originaires de la France et de la République démocratique du Congo. Les immigrants français occupent une place privilégiée dans la communauté francophone torontoise. Leur présence à Toronto remonte au tout début de la fondation de la ville. On considère qu'ils font partie intégrante de la communauté francophone, malgré le fait qu'ils soient nés à l'étranger. Les immigrants congolais se sont, quant à eux, ajoutés relativement récemment à la communauté francophone. Bien que quelques-uns d'entre eux y aient été présents dès le début du XXe siècle, la communauté congolaise de Toronto n'a pris de l'ampleur qu'au cours des années 1990, avec l'arrivée massive de réfugiés fuyant les conflits civils. Peu de chercheurs ont examiné les processus d'établissement des immigrants francophones à Toronto, surtout ceux provenant des communautés ethnoraciales (Farmer, Chambon et Madibbo, 2001).

Malgré le fait que Toronto montre les plus importantes concentrations de Congolais et de Français hors Québec, ces communautés y sont de petite taille. Au moment du recensement de 2006, seulement 2 340 personnes, ou 14,8 % des immigrants et résidents non permanents nés en République démocratique du Congo y habitent, tandis que 6 450 personnes, ou 7,3 % de ceux nés en France vivent à Toronto (Statistique Canada, 2007). Ces deux groupes représentent respectivement moins de 0,05 % et 0,13 % de la population totale de la région métropolitaine de Toronto.

La recherche d'un logement est l'une des premières étapes de l'établissement des immigrants. C'est une étape importante dans leur intégration sociale et économique (Ray et Rose, 2000 ; Murdie et Teixeira, 2003). Leurs expériences positives ou négatives peuvent donc avoir un impact déterminant sur le bien-être des nouveaux arrivants. La discrimination et le traitement préférentiel sont deux des facteurs pouvant faciliter ou rendre la recherche d'un logement plus difficile.

La discrimination au Canada

Au Canada, les études portant sur les expériences de discrimination lors de la recherche d'un logement portent surtout sur des incidents de discrimination négative limitant l'accès à un logement abordable pour les minorités raciales, les familles avec de jeunes enfants, les mères célibataires, les foyers à faible revenu, etc. Des recherches ont montré que les immigrants font face à de multiples obstacles au cours de la recherche d'un logement abordable. Le racisme et la discrimination peuvent provenir de locateurs, d'agences de location de logements publics et privés et d'agents immobiliers, malgré l'existence de politiques de multiculturalisme et de mesures anti-discriminatoires à tous les niveaux de gouvernement (Teixeira, 2006). Le racisme fait partie de la réalité de plusieurs immigrants. Par exemple, une étude portant sur les Jamaïcains et les Somaliens à Toronto a montré que ces deux groupes perçoivent plus de discrimination lors de la recherche d'un logement, à cause de leur race, de leur accent ou de leur langue maternelle, leur origine ethnique et la taille de leur famille, que les répondants polonais (Dion, 2001).

La discrimination peut influencer la recherche d'un logement de multiples façons : voir sa demande refusée pour des raisons injustes, ne pas avoir accès à tous les logements disponibles, payer plus cher pour un logement, être ignoré par certains agents immobiliers ou agents de location d'appartements, devoir répondre à des critères plus rigoureux pour l'obtention d'un logement, etc. (Yinger, 1995) ; Novac *et al.*, 2002). Une étude américaine a montré que des participants de race noire, se présentant comme acheteurs ou locataires potentiels, se sont fait montrer 25 % moins de logements que des participants de race blanche aux revenus similaires. Les candidats noirs ou hispaniques se sont fait « exclure » par un agent immobilier ou un locateur – ils ont été ignorés ou n'ont pas reçu l'information qu'ils demandaient – dans 5 à 10 % des cas (Yinger, 1995). Les obstacles lors de la recherche d'un logement peuvent avoir un impact sur l'accession à la propriété. Une étude sur les citoyens canadiens de race noire dont les revenus étaient au-dessus du seuil de pauvreté et qui résidaient à Toronto depuis plus de cinq ans a révélé que la proportion de propriétaires était plus élevée chez les Blancs que chez les Noirs selon le groupe d'âge, la situation de famille, le statut d'immigrant, le niveau d'éducation, la profession et le revenu. En somme, les Noirs sont moins souvent propriétaires, quelles que soient leurs caractéristiques socioéconomiques ou démographiques. Le racisme est la seule cause possible de l'écart entre les taux d'accession à la propriété des Noirs, en tenant compte des différences culturelles (Darden et Kamel, 2000).

Les chercheurs ne s'entendent pas pour dire si la discrimination perçue est l'équivalent d'une « vraie » discrimination. La perception de la discrimination est considérée, par contre, comme une mesure de la réalité psychologique des immigrants et des minorités visibles (Dion et Kawakami, 1996). Elle permet de recenser certaines barrières importantes à leur intégration dans la société d'accueil. La discrimination perçue envers le groupe est un outil important pour prédire les revendications, le militantisme et le désir de prendre part à des actions organisées contre les inégalités perçues, tandis que la discrimination fondée sur des caractéristiques individuelles peut mener à des réactions personnelles au stress (Dion, 2001). Les personnes de race noire perçoivent ainsi plus de discrimination au niveau personnel et en tant que groupe que les minorités non visibles et d'autres minorités visibles tels que les Chinois et les Sud-Asiatiques (Dion et Kawakami, 1996 ; Murdie et Teixeira, 2003). Dans ce contexte, on devrait donc s'attendre à ce que les immigrants congolais vivent plus d'expériences de discrimination et de racisme que les immigrants français à cause de la couleur de leur peau.

L'immigration congolaise à Toronto

Les Congolais se sont joints récemment à la société multiculturelle de Toronto. Selon le recensement de 2006, il y a officiellement 2 035 immigrants congolais vivant à Toronto et 305 résidents non permanents (Statistique Canada, 2007). En 2005, on estimait que la communauté congolaise comptait plutôt entre 5 000 et 7 000 membres à Toronto (Informateur-clé 02 ; Informateur-clé 08). Comparés aux autres communautés immigrantes de Toronto, les Congolais forment donc un groupe arrivé relativement récemment et de petite taille. Plus du tiers (36,1 %) des immigrants congolais sont arrivés entre 2001 et 2006 (Statistique Canada, 2007).

L'immigration congolaise au Canada a été présente au cours de la majeure partie du XXe siècle, même si elle a été plutôt limitée. Son histoire suit de près celle du Congo (Zaïre). Peu importante à ses débuts, l'immigration a augmenté de manière exponentielle vers la fin du siècle. On retrouve déjà des Congolais en petit nombre en 1966, lorsque le ministère de la Main-d'œuvre et de l'Immigration commence à publier des statistiques sur l'immigration par pays de dernière résidence permanente (Canada. Ministère de la Main-d'œuvre et de l'Immigration, 1967). Les données du recensement de 2001 indiquent d'ailleurs que des immigrants congolais sont arrivés au cours des années 1920 et 1930, alors que le Congo était une colonie belge. L'indépendance de ce pays en 1960 amène d'autres immigrants (Gender and Work Database, 2001a). Ces groupes sont majoritairement de race blanche. Au début des années 1970, la mise en œuvre de la politique de zaïrianisation par le président Mobutu et le transfert d'entreprises étrangères des secteurs clés de l'économie à des Zaïrois mènent à une grave crise économique (Library of Congress, 1994). En 1973 et 1974, plus de 1 600 immigrants, majoritairement d'origine sud-asiatique, quittent le Zaïre pour le Canada (Canada. Ministère de la Main-d'œuvre et de l'Immigration, 1976).

Les Congolais de race noire ne commencent à arriver au Canada qu'après l'indépendance du Congo et lorsque la loi canadienne de l'immigration de 1967 a éliminé les pratiques discriminatoires par la création d'un système de points (Gender and Work Database, 2001b ; Hiebert, 2000)). Vers la fin des années 1980, on compte environ 50 Congolais noirs à Toronto. La majorité d'entre eux sont arrivés en tant que réfugiés politiques et ont choisi de s'établir à Toronto par hasard ou parce que des membres de leur famille ou des amis y demeuraient. La plupart sont des étudiants et occupent des emplois précaires (Informateur-clé 08 ; Répondant 32 ; Kazadi Wa Kabwe et Segatti, 2003). Par la suite, plusieurs étudiants sont restés au Canada, lorsque la situation économique et politique s'est dégradée au Zaïre (Informateur-clé 02 ; *Encyclopedia of Chicago*, s. d.). Il faudra attendre 1990 avant que le nombre de ressortissants congolais ne dépasse les 150 par année.

Depuis les années 1990, le pays est marqué par des tensions ethniques et des guerres où les civils sont continuellement victimes de massacres, de viols, de pillages et de torture (Office of the United Nations High Commissioner for Refugees, 1994). Durant cette période, de nombreux civils sont la proie de groupes armés qui réagissent de manière violente à toute forme de protestation. L'effondrement de l'infrastructure, affaiblie par plus de deux décennies de dictature, a aussi contribué à la baisse de la qualité de vie au Congo (World Bank Group, s. d.). Entre 1998 et 2003, on estime que 3,3 millions de civils ont ainsi perdu la vie.

> Ces décès résultent d'une combinaison de meurtres souvent brutaux et d'un accès rendu impossible à la nourriture, aux soins de santé et à d'autres éléments essentiels à la vie alors que les populations ont été forcées de prendre la fuite et que les agences d'aide ont été submergées par les besoins de populations inaccessibles, dans des zones souvent peu sûres. Le système international a fait face avec difficultés [*sic*] à une guerre qui a impliqué six autres États africains, plus d'une douzaine de groupes rebelles et des douzaines de compagnies et d'individus cherchant à exploiter les ressources naturelles du pays (Human Rights Watch, 2004).

La situation se stabilise quelque peu après l'adoption d'une nouvelle constitution en 2005 et après les élections de 2006, malgré les flambées de violence sporadique et les tensions persistantes dans certaines régions du pays (Human Rights Watch, 2008).

Le gouvernement canadien a reconnu la gravité de la situation en imposant une suspension temporaire des renvois de ressortissants de la République démocratique du Congo entre 2004 et 2009, dans le cadre de l'Entente sur les tiers pays sûrs (Canada. Ministère de la Citoyenneté et de l'Immigration, 2009). Les ressortissants congolais sont alors exemptés de l'Entente et peuvent donc revendiquer le statut de réfugiés au Canada, même s'ils ont transité par un pays considéré comme étant *sécuritaire* (Canada. Agence des services frontaliers, 2007).

Tout comme les immigrants somaliens et éthiopiens qui ont fui leur pays en guerre, les nouveaux arrivants congolais font face à de multiples obstacles à cause du taux de chômage élevé et du sous-emploi, de leur arrivée récente et des expériences de discrimination auxquelles ils sont confrontés. Par conséquent, ces groupes font face à la pauvreté et à des inégalités chroniques et dépendent largement de leurs réseaux sociaux afin de faciliter leur intégration (Danso, 2001). L'arrivée constante d'immigrants congolais à Toronto a eu un impact sur les institutions francophones de la ville. En effet, à titre d'exemple, à partir de 2007, le Centre francophone de Toronto a cru bon d'offrir une formation sur la culture congolaise à ses employés (Centre francophone de Toronto, 2007).

L'immigration française à Toronto

Les immigrants français sont présents à Toronto depuis la fondation de la ville. Déjà, en 1815, environ 20 familles françaises vivaient à Toronto (Forlot, 2006). En 2006, Toronto compte 5 815 immigrants nés en France et 630 résidents non permanents (Statistique Canada, 2007).

L'immigration française fluctue selon les événements mondiaux et les politiques d'immigration. En effet, elle est plutôt limitée entre le début du régime britannique et les années 1960. La situation économique au Canada et en France, la Première et la Seconde Guerre mondiale et les politiques d'immigration limitant l'arrivée de ressortissants français contribuent à réduire leur arrivée au Canada (Penisson, 1986 ; Jones, 1986). On assiste, par contre, à une recrudescence de l'immigration française au cours des années 1960. Entre 1960 et 1969 seulement, 51 647 immigrants proviennent de France, représentant environ 3 % de tous les nouveaux arrivants au cours de la même période (Jones, s. d.). La prospérité économique, la décolonisation de l'Afrique, la place proéminente occupée par le Canada et le Québec à l'époque de l'Exposition universelle de 1967 et la visite du général de Gaulle au Québec ont contribué au niveau d'immigration le plus élevé de tous les temps (Penisson, 1986).

Les immigrants français sont en général plus éduqués que les autres immigrants et les Canadiens de naissance. Plusieurs ont quitté la France pour partir à l'aventure ou pour travailler à l'étranger (Saint-Martin *et al.*, 2006). Entre 1965 et 2000, les citoyens français peuvent faire du bénévolat en remplacement du service militaire obligatoire. Grâce à ce programme, de jeunes adultes viennent travailler dans des ambassades, des centres culturels, des entreprises ou des organismes humanitaires (France. Ministère des Affaires étrangères et européennes, s. d.). Les expatriés constituent une autre catégorie importante de ressortissants français. Ce sont des cadres envoyés à l'étranger par de grandes compagnies françaises ou multinationales œuvrant dans tous les secteurs de l'économie (Répondant 01 ; Répondant 03). Même si ce groupe représente moins de 1 % des personnes inscrites au Consulat général de France à Toronto, il joue un rôle important dans la communauté (Forlot, 2006). Cette tendance a changé depuis, les compagnies préférant embaucher des immigrants français sous contrat local respectant la législation du travail et les salaires locaux afin de réduire les coûts (La Motte Saint-Pierre, 2004 ; Chayet *et al.*, 1997).

On assiste à un ralentissement des arrivées pendant les années 1970, à cause de la crise économique mondiale et du taux de chômage élevé (Penisson, 1986). Après avoir atteint un creux au milieu des années 1980, l'immigration française connaît depuis cette date une progression continue (Gender and Work Database, 2001a). Plusieurs individus arrivent au Canada en tant qu'immigrants indépendants (Jones, s. d.), dont plusieurs professeurs (Répondant 07). On les retrouve encore aujourd'hui dans plusieurs universités. Des jeunes filles viennent en tant que gouvernantes. D'autres sont chefs dans des restaurants. Plusieurs parmi ceux qui ont décidé de quitter la France pour partir à l'aventure se sont établis à Toronto (Répondant 03). Les conditions économiques actuelles encouragent une multitude de cadres et de jeunes à quitter la France pour travailler à l'étranger (Courage, 2006 ; Peyrani, 2006).

Méthodologie de la recherche

Les résultats de cette recherche sont basés sur des entrevues effectuées auprès de membres des deux communautés, dans le cadre de mon mémoire de maîtrise. Des entrevues ont été effectuées auprès de 26 répondants congolais et de 26 répondants français recrutés selon la méthode de l'échantillonnage par réputation. Les entrevues ont été conduites à l'aide d'un questionnaire portant sur les différents aspects de la recherche de logement. La plupart des questions provenaient d'un questionnaire utilisé pour examiner les parcours résidentiels des immigrants angolais et mozambicains à Toronto, ainsi que ceux des immigrants polonais, somaliens et jamaïcains (Teixeira, 2006 ; Dion, 2001). Étant donné que les expériences des Français et des Congolais étaient peu connues, le questionnaire comprenait des questions à réponses ouvertes et fermées afin de s'assurer que la plupart des expériences en matière de logement soient discutées (Hoggart, Lees et Davies, 2002). Par exemple, la section portant sur la discrimination incluait une liste des sources possibles de discrimination. Pour chaque source, les participants devaient indiquer s'ils avaient personnellement été victimes de discrimination ou si les membres de leur communauté en tant que groupe en avaient été victimes. Ces questions étaient suivies de questions à développement afin de faciliter la discussion de leurs expériences personnelles et collectives. Les questions fermées quantifiaient les expériences de discrimination et permettaient de comparer les expériences des immigrants congolais et français. Les questions à développement permettaient plutôt aux répondants de décrire leurs expériences et de discuter d'autres formes ou facettes de la discrimination qui n'étaient pas couvertes par les questions fermées.

Les expériences de discrimination des répondants

Les entrevues aves les répondants congolais révèlent que la plupart perçoivent peu de discrimination. En moyenne, ces répondants se sont sentis « un peu » victimes de discrimination. Les répondants français sont moins nombreux que les Congolais à affirmer avoir été victimes de discrimination. Le niveau de discrimination perçu parmi les Français est en fait très bas, presque nul. En général, les participants congolais se sont sentis victimes de discrimination d'une manière similaire aux immigrants polonais. Ils ont mentionné être victimes de discrimination moins souvent que les Jamaïcains et les Somaliens. Les expériences des Congolais ressemblent, par ailleurs, à celles des Ghanéens vivant à Toronto, puisque peu d'immigrants ghanéens affirment souffrir de discrimination. Il est possible que l'utilisation de réseaux sociaux par les deux groupes limite leurs contacts avec la société d'accueil et, du même coup, les situations potentielles de discrimination (Owusu, 1999).

Parmi ceux qui affirment avoir été victimes de discrimination, le niveau et les sources de revenu, la taille des familles, la race et la couleur de la peau représentent les sources principales de discrimination pour les répondants congolais. Les répondants français sont victimes de discrimination à cause de leur accent, de leur langue maternelle ou de leur niveau de revenu.

Le revenu est donc une source de discrimination pour les répondants congolais et français : plus particulièrement, le niveau de revenu pour les deux groupes et les sources de revenu pour les Congolais. Le niveau de revenu est une source de discrimination pour tous les groupes d'immigrants (Dion, 2001). En effet, les propriétaires utilisent le revenu minimal pour filtrer les locataires potentiels, même s'il est illégal de refuser un locataire uniquement en fonction d'un rapport loyer-revenu minimal (Ontario. Commission ontarienne des droits de la personne, 2007). À cause des difficultés à récupérer les loyers non payés, les propriétaires tentent d'éviter les problèmes en se tournant vers des pratiques discriminatoires. La discrimination en matière de revenu est alors une des méthodes utilisées en vue de sélectionner des locataires « désirables » parmi plusieurs candidats. Cette situation est aggravée par le faible taux d'inoccupation des logements locatifs à Toronto (Hulchanski, 1994).

Les participants congolais et français à faibles revenus sont victimes de discrimination basée sur le revenu. Alors que des revenus élevés donnent accès à un large éventail de logements, de faibles revenus limitent l'accès aux logements moins chers et augmentent la vulnérabilité à la discrimination basée sur le niveau de revenu. En effet, la majorité des immigrants congolais vivant à Toronto sont arrivés récemment au Canada, plusieurs en tant que réfugiés ou revendicateurs du statut de réfugié. Nombreux sont ceux qui dépendent de l'assurance-emploi et d'emplois précaires. La situation des membres de la communauté continue de s'améliorer grâce à leur bilinguisme et à leur niveau d'éducation, mais la pauvreté cause encore des problèmes pour plusieurs (Lemoine, 2008).

Les répondants congolais sont aussi victimes de discrimination raciale. La couleur de la peau et la race sont des obstacles importants pour le tiers d'entre eux. Les Jamaïcains et les Somaliens ont aussi mentionné être victimes de discrimination raciale (Dion, 2001). La majorité des Somaliens vivant à Toronto affirment que le racisme est la principale cause de difficultés dans les premiers stades de leur établissement au Canada (Danso, 2001). Le racisme a un impact sur les parcours résidentiels en limitant l'accès aux logements disponibles. Une répondante congolaise a discuté de ses expériences de discrimination lorsqu'elle cherchait un logement avec sa sœur qui parlait anglais sans accent perceptible. Celle-ci a pris rendez-vous pour aller visiter un logement un après-midi. Quand elles sont arrivées à l'immeuble, le propriétaire leur a dit que l'appartement n'était plus libre, même s'il l'était toujours quelques heures auparavant (Répondante 09). Une répondante française dont l'ex-mari était noir a aussi parlé de ses expériences de discrimination.

> Ben mon mari, quand par exemple on se présentait à la porte du superintendant pour... savoir si les 2 chambres qui étaient *advertised* étaient toujours disponibles, on avait une réaction tout de suite négative en nous regardant tous les deux. Une Blanche avec un Noir, d'emblée on était catalogués et on nous disait de revenir, on nous disait... On a eu ce genre de chose, oui. Ou aussi bien, par téléphone, les numéros qu'on avait relevés, donc d'immeubles qui avaient de la disponibilité d'appart et puis quand c'était mon ex-mari qui appelait, on lui raccrochait au nez. On reconnaissait une grosse voix, parce qu'il a pas d'accent jamaïcain, mais je pense qu'il y a des gens qui sont capables de dire si c'est un Noir au téléphone et prennent souvent... on répondait pas à sa question (Répondante 36).

Dans ce cas, la répondante a été victime de discrimination parce qu'elle était associée à une personne de race noire.

La composition des familles peut causer des problèmes pour les deux groupes. Les répondants congolais ont mentionné que la taille de leur famille était une source de discrimination. Des répondantes françaises et congolaises ont discuté de leurs expériences de discrimination à cause de leurs jeunes enfants ou du fait qu'elles étaient chefs de famille monoparentale. Une répondante française a raconté avoir été victime de discrimination parce qu'elle était mère célibataire.

> Il y a beaucoup de discrimination même envers les mères célibataires. Quand tu dis que tu recherches, que tu, quand tu dis la taille de la famille et que ça n'inclut pas un père, là, c'est tout de suite, t'es cataloguée (Répondante 36).

Après avoir finalisé la location d'un logement, une participante congolaise avec des enfants s'est fait convoquer à nouveau par le concierge qui lui a dit alors qu'il y avait eu une erreur. Le propriétaire avait décidé de ne pas louer le logement tout de suite et de le rendre disponible pour une plus longue période, même s'il savait que la candidate habitait dans un refuge et avait besoin d'un appartement le plus rapidement possible (Répondante 23). Une autre répondante française a mentionné avoir été victime de discrimination. Lorsque je lui ai demandé un exemple, elle a expliqué :

> 2 : Euh, ben, je vais, voilà, je téléphone pour un appartement et on me dit : « Oui, il est toujours disponible. » Et tout. Je demande à le visiter et on me dit : « Qui va vivre dans le logement ? » Et j'ai dit : « Moi et mon bébé » (pause) Et on m'a dit : « Ah ben non, ça ne va pas être possible. » Et on m'a raccroché au nez. Ça c'est une des expériences. [...]
>
> 1: Comment est-ce que ça t'a fait sentir ?
>
> 2 : Ben... (pause) hm... C'était des connards. (rires) Oui, en fait, au moment où je cherchais ce logement, c'était pas dans les plus réjouissants. Ça se passait, je me séparais d'avec mon conjoint, avec mon bébé. Évidemment, eh, c'était pas comique, quoi. Oui quoi, ça te fout un coup (Répondante 20).

Dans cette situation, la répondante attire l'attention sur le fait que la discrimination a empiré la situation déjà difficile qu'elle vivait. La discrimination a accru sa vulnérabilité en tant que mère récemment séparée de son conjoint et ayant la garde d'un enfant.

Des cas de discrimination envers les familles sont souvent portés à l'attention du Tribunal des droits de la personne de l'Ontario. Les propriétaires utilisent une variété de raisons pour refuser les familles avec des enfants :

> Des locateurs peuvent refuser de louer aux familles ayant de jeunes enfants parce que ceux-ci sont « bruyants » et dérangeront les autres locataires. Les locateurs qui insistent pour que les locataires mènent « une vie tranquille » ou qui informent les locataires du fait que l'immeuble n'est pas « insonorisé » sont des thèmes qui reviennent souvent lors du rejet de locataires potentiels ayant de jeunes enfants. Pendant leur occupation d'une

> résidence, des familles peuvent être victimes de harcèlement par d'autres locataires et par les fournisseurs de logement, et peuvent même être menacées d'expulsion en raison du comportement normal de leurs enfants. Des problèmes peuvent survenir relativement à des familles entières expulsées en raison de comportements inacceptables chez un enfant (Ontario. Commission ontarienne des droits de la personne, 2007).

Les répondants français ont de plus affirmé avoir été victimes de discrimination à cause de leur accent ou de leur langue maternelle. Dans leurs cas, ce sont principalement des expériences de discrimination positive, de favoritisme. Leur accent les identifie en tant que Français, et la perception positive de la culture française détermine l'attitude de leurs interlocuteurs. Peu d'études portent sur le traitement préférentiel, même si certaines soulignent la perception positive de la culture française au Canada. Au Québec, les immigrants français bénéficient, en effet, d'un certain degré de prestige :

> *French gastronomy (food and wine, as well as restaurants, bistros, and bakeries) and French artistic expression (fashion design, music, literature, theatre) are held in high esteem; indeed, some chic boutiques [in Montreal] are known to have a certain preference for hiring sales personnel with a metropolitan French accent*[1] (Fortin, 2002).

Des études antérieures ont montré que les immigrants français à Toronto sont convoités comme gérants ou vendeurs dans des magasins de luxe, les clients considérant leur accent comme un symbole de l'élite à la mode (Guillaume et Guillaume, 1981). Le prestige de la culture française se traduit par un stéréotype positif au sujet des ressortissants français. À Toronto, des recherches portant sur les perceptions des élèves ont montré que les professeurs de français avec un accent parisien étaient considérés comme plus intelligents, plus compétents et meilleurs professeurs que ceux parlant avec un accent différent (Hume, Lepicq et Bourhis, 1993).

Les immigrants français bénéficient aussi de la perception positive des autres groupes sociaux à Toronto. Des entrevues avec des répondants français révèlent, en effet, des expériences de favoritisme. Plusieurs répondants ont affirmé que leurs interlocuteurs réagissent favorablement lorsqu'ils mentionnent être originaires de la France. En parlant de cette réaction, une répondante a mentionné : « Dès qu'on leur dit qu'on est Français, ils nous aiment avant même de nous avoir rencontrés, ou presque » (Répondante 42). Lorsqu'on lui a demandé si elle avait vécu des expériences de discrimination à cause de son accent ou de sa langue maternelle, une autre participante explique :

> *No, actually, they like this. "Oh, you're French!" (rires) "Oh, I have some friends... Oh, I've been in France! Or..." And when we say I'm from Paris, oh my God! "Oh, I love Paris! I wish I could be there. Why are you here? You know, you're from Paris, what are you doing here?" I'm like: I mean, you know, yes I know, but, but you know, Toronto's not bad, I love it! But yeah, I've been through all those*[2] (Répondante 48).

Non seulement la France, mais surtout Paris, étaient tellement idéalisés qu'il semblait impossible que cette répondante ait pu choisir de vivre à Toronto. Ces deux répondantes ont noté que leur interlocuteur les appréciait parce qu'elles étaient Françaises, même si c'était la première fois qu'on leur adressait la parole et que leur interlocuteur ne les connaissait pas personnellement. Voilà un exemple de discrimination. En effet, ces répondantes se sont fait juger sur la base de caractéristiques superficielles, c'est-à-dire leur pays d'origine. Contrairement à ce qui est habituellement perçu comme de la discrimination, les répondants français sont bien reçus. Ils sont acceptés parce qu'ils sont originaires de la France. Ce ne sont pas tous les francophones qui reçoivent un tel accueil à Toronto. Comme nous l'avons mentionné plus haut, les Congolais font face à plus de discrimination que les répondants français.

Ce traitement préférentiel a un impact direct sur les parcours résidentiels des immigrants français car il facilite leur recherche de logement. Une répondante a raconté une histoire qui était arrivée à sa sœur lorsqu'elle cherchait un logement :

> *I have a sister who is looking for an apartment right now and she said that she went to visit one. And [the superintendent] had a few buildings, and he had nothing right now, and he said: "But wait, please, come back, you know, once a month come here, then I'll let you know as soon as someone is moving out." I'm like, she's like, wow! You know, this is because, years and years ago, you know, he did stay in France for a couple of months. You know, he's like: "I love France, I've been there, you know that place [I lived in]?" She's like: "No, but,*

> *you know, I'm sure, you know, it's nice." He's like: "Yeah, I loved it. Just come back, come back and I'll tell you!*»[3] (Répondante 48).

On peut donc s'attendre à ce que la sœur de cette répondante ait priorité sur les autres locataires potentiels lorsqu'un appartement se libérera, seulement parce qu'elle est originaire d'un pays que le concierge a aimé visiter plusieurs années auparavant.

Une autre répondante a raconté avoir affiché une annonce sur Craigslist, un site important d'annonces classées, dans laquelle elle mentionnait qu'elle cherchait un appartement à partager. Un anglophone l'a contactée. Pendant qu'elle visitait l'appartement et bavardait avec lui, il lui a avoué qu'il n'était pas vraiment intéressé à avoir un(e) colocataire, mais qu'il avait vu son annonce et qu'il pensait que ça pourrait être intéressant d'avoir une colocataire française (Répondante 24). Dans ce cas-ci, le fait d'être Français a ouvert un débouché qui n'aurait pas été disponible autrement. La personne a seulement considéré prendre une colocataire en apprenant que la répondante était Française.

Bien que certains répondants aient apprécié ce favoritisme, d'autres ont mentionné qu'il les mettait mal à l'aise : « *I don't like that. It is… in some ways, I'm like, you should check, maybe I'm not a good person, you know* »[4] (Répondante 48). Un autre répondant a affirmé éviter le plus souvent possible de mentionner qu'il venait de France, afin de ne pas se faire traiter différemment.

Ces exemples ont été offerts spontanément par les répondants. Le questionnaire utilisé pour cette étude ne prévoyait que des questions sur les expériences de discrimination négative, sans aucune mention de favoritisme. Il est difficile de dire si le phénomène est répandu, mais des exemples aussi flagrants indiquent que la pratique est fréquente.

Conclusion

Les groupes vulnérables, telles les minorités visibles, les familles monoparentales, les familles avec de jeunes enfants, sont exposés à subir de la discrimination. Les immigrants français et congolais sont, en effet, victimes de racisme et d'autres formes de discrimination, comme le montrent les commentaires des répondants. Le traitement préférentiel dont bénéficient les immigrants français facilite leur recherche de logement. Le favoritisme ne protège toutefois pas de toutes les formes de discrimination.

Non seulement ces inégalités existent lors de la recherche d'un logement, mais il est possible que la discrimination et le traitement préférentiel aient des répercussions dans d'autres domaines, tel que le marché du travail. Les expériences de favoritisme vécues par les répondants se juxtaposent aux expériences de discrimination, mais d'autres recherches seront nécessaires pour bien comprendre ces phénomènes.

NOTES

1. « La gastronomie française (la cuisine et le vin, ainsi que les restaurants, les bistros et les pâtisseries) et l'expression artistique française (la haute couture, la musique, la littérature et le théâtre) sont tenues en haute estime. En effet, on sait que certaines boutiques chics [de Montréal] préfèrent engager du personnel de vente parlant avec un accent français métropolitain. » (Nous traduisons.)
2. « Non, à vrai dire, ils aiment ça. "Oh, tu es Française !" (rires) "Oh, j'ai des amis... Oh, j'ai été en France ! Ou..." Et quand on leur dit que je viens de Paris, oh mon Dieu ! "Oh, j'adore Paris ! J'aimerais pouvoir y être. Pourquoi es-tu ici ?" Tu sais, tu viens de Paris, qu'est-ce que tu fais ici ? Je me dis : "Tu sais, oui je sais, mais, mais tu sais, Toronto n'est pas si mal, j'aime ça ici !" Mais ouais, j'ai enduré tout ça. » (Nous traduisons.)
3. « J'ai une sœur qui se cherche présentement un appartement et elle m'a raconté en avoir visité un. Et [le concierge] était responsable de quelques immeubles, et il n'avait rien de disponible présentement, et il a dit : "Mais attends, s'il te plaît, reviens, tu sais. Une fois par mois, viens ici et je te le dirai dès que quelqu'un déménagera." J'ai fait, elle a fait : "Wow !" Tu sais, c'est parce que, il y a des années de cela, tu sais, il est resté en France pendant quelques mois. Tu sais, il a fait : "J'adore la France, j'y suis allé. Connais-tu l'endroit [où j'étais] ?" Elle a fait : "Non, mais, tu sais, je suis certaine, tu sais, que c'est beau." Il a fait : "Ouais, j'ai adoré. Reviens, reviens et je te le dirai !". » (Nous traduisons.)
4. « Je n'aime pas ça. C'est... d'une certaine manière, je me dis : "Tu devrais vérifier, je suis peut-être pas une bonne personne, tu sais." » (Nous traduisons.)

BIBLIOGRAPHIE

CANADA. AGENCE DES SERVICES FRONTALIERS (2007). *Entente entre le Canada et les États-Unis sur les tiers pays sûrs*, [En ligne], [http://www.cbsa-asfc.gc.ca/agency-agence/stca-etps-fra.html] (12 octobre 2010).

CANADA. MINISTÈRE DE LA CITOYENNETÉ ET DE L'IMMIGRATION (2009). *News Release: Minister Kenney Announces Removal of Exception Relating to Safe Third Country Agreement*, [En ligne], [http://www.cic.gc.ca/english/department/media/releases/2009/2009-07-23.asp] (31 octobre 2010).

CANADA. MINISTÈRE DE LA MAIN-D'ŒUVRE ET DE L'IMMIGRATION. DIVISION DE L'IMMIGRATION (1967). *Statistique de l'immigration en 1966 = 1966 Immigration Statistics*, Ottawa, Roger Duhamel, Imprimeur de la Reine.

CANADA. MINISTÈRE DE LA MAIN-D'ŒUVRE ET DE L'IMMIGRATION. DIVISION DE L'IMMIGRATION (1976). *1975 Statistiques d'immigration = 1975 Immigration Statistics*, Ottawa, Ministre des Approvisionnements et Services Canada.

CENTRE FRANCOPHONE DE TORONTO (2007). *Vivre mieux, automne*, [En ligne], [http://test.cfttemp.org/data/bulletins/00000008.pdf] (10 mars 2011).

CHAYET, Stéphanie, *et al.* (1997). « Pourquoi ils quittent la France », *Le Point*, 15 novembre, p. 104-113.

COURAGE, Sylvain (2006). « Partir et réussir à l'étranger », *Le Nouvel Observateur*, 20 avril, p. 12-13.

DANSO, Ransford (2001). « From "There" to "Here": An Investigation of the Initial Settlement Experiences of Ethiopian and Somali Refugees in Toronto », *GeoJournal*, vol. 55, n° 1, p. 3-14.

DARDEN, Joe T., et Sameh M. KAMEL (2000). « Black and White Differences in Homeownership Rates in the Toronto Census Metropolitan Area: Does Race Matter? », *Review of Black Political Economy*, vol. 28, n° 2, p. 53-76.

DION, Kenneth L. (2001). « Immigrants' Perceptions of Housing Discrimination in Toronto: the Housing New Canadians Project », *Journal of Social Issues*, vol. 57, n° 3, p. 523-539.

DION, Kenneth L., et Kerry KAWAKAMI (1996). « Ethnicity and Perceived Discrimination in Toronto: Another Look at the Personal/Group Discrimination Discrepancy », *Canadian Journal of Behavioural Science*, vol. 28, n° 3, p. 203-213.

ENCYCLOPEDIA OF CHICAGO (s. d.). « Congolese », [En ligne], [http://www.encyclopedia.chicagohistory.org/pages/1397.html] (19 septembre 2010).

FARMER, Diane, Adrienne CHAMBON et Amal MADIBBO (2001). « Immigrants francophones en Ontario : réalité invisible, défis pour la recherche », atelier présenté dans le cadre de la Cinquième conférence nationale de Metropolis, tenue à Ottawa, du 16 au 20 octobre 2001.

FORLOT, Gilles (2006). « Minorité et légitimité communautaire : la migration française de Toronto entre francophonie et anglophonie », *Francophonies d'Amérique*, n° 21 (automne), p. 131-149.

FORTIN, Sylvie (2002). « Social Ties and Settlement Processes: French and North African Migrants in Montreal », *Canadian Ethnic Studies*, vol. 34, n° 3, p. 76-98.

FRANCE. MINISTÈRE DES AFFAIRES ÉTRANGÈRES ET EUROPÉENNES (s. d.). *La coopération reprend du service grâce au volontariat international*, [En ligne], [http://www.diplomatie.gouv.fr/fr/france_829/label-france_5343/les-numeros-label-france_5570/lf51-les-jeunes_10104/france-nouvelle-generation_10107/cooperation-reprend-du-service-grace-au-volontariat-international_20215.html] (17 mars 2008).

GENDER AND WORK DATABASE, YORK UNIVERSITY (2001a). *Immigrant Population and Non-Permanent Residents by Period of Immigration, Place of Birth, Province/CMA, and Sex, 2001, Migration Demographics* (MIG CNS A-1), [En ligne], [http://www.genderwork.ca] (15 octobre 2010).

GENDER AND WORK DATABASE, YORK UNIVERSITY (2001b). *Population by Immigrant Status and Period of Immigration, Age, Citizenship, Place of Birth, Province/CMA, and Visible Minority Status, 2001, Citizenship by Migration and Demographics* (MIG CNS B-1), [En ligne], [http://www.genderwork.ca] (15 octobre 2010).

GUILLAUME, Pierre, et Sylvie GUILLAUME (1981). *Aspects de la francophonie torontoise*, Bordeaux, Centre d'études canadiennes.

GYIMAH, S. Obeng, David WALTERS et Kelli PHYTHIAN (2005). « Ethnicity, Immigration and Housing Wealth in Toronto », *Canadian Journal of Urban Research*, vol. 14, n° 2, p. 338-363.

HAAN, Michael (2005). « The Decline of the Immigrant Home-Ownership Advantage: Life-Cycle, Declining Fortunes and Changing Housing Careers in Montreal, Toronto and Vancouver, 1981-2001 », *Urban Studies*, vol. 42, n° 12, p. 2191-2212.

HIEBERT, Daniel (2000). « Immigration and the Changing Canadian City », *Canadian Geographer*, vol. 44, n° 1, p. 25-43.

HOGGART, Keith, Loretta LEES et Anna DAVIES (2002). *Researching Human Geography*, Londres, Arnold ; New York, Oxford University Press.

HULCHANSKI, J. David (1994). *Discrimination in Ontario's Rental Housing Market: the Role of Minimum Income Criteria*, rapport préparé pour la Commission ontarienne des droits de la personne, [En ligne], [http://www.hnc.utoronto.ca/publish/microle.pdf] (29 octobre 2010).

HUMAN RIGHTS WATCH (2004). *World Report 2004: Preface*, [En ligne], [http://www.hrw.org/wr2k4/download/2.pdf], (2 novembre 2010).

HUMAN RIGHTS WATCH (2008). *World Report: Democratic Republic of Congo*, [En ligne], [http://hrw.org/englishwr2k8/docs/2008/01/31/congo17824.htm] (2 octobre 2010).

HUME, Elizabeth, Dominique LEPICQ et Richard BOURHIS (1993). « Attitudes des étudiants canadiens-anglais face aux accents des professeurs de français en Ontario », *Canadian Modern Language Review*, vol. 49, n° 2, p. 209-235.

JONES, Richard (s. d.). « French », *Encyclopedia of Canada's Peoples*, [En ligne], [http://www.multiculturalcanada.ca/Encyclopedia/A-Z/f3] (15 novembre 2010).

JONES, Richard (1986). « Spécificités de l'immigration française au Canada après la Deuxième Guerre mondiale », *Revue européenne de migrations internationales*, vol. 2, n° 2, p. 127-143.

KAZADI WA KABWE, Désiré, et Aurelia SEGATTI (2003). « Paradoxical Expressions of a Return to the Homeland: Music and Literature Among the Congolese (Zairean) Diaspora », dans Khalid Koser (dir.), *New African Diasporas*, New York, Routledge, p. 124-166.

LA MOTTE SAINT-PIERRE, Inès de (2004). « Un petit goût d'aventure : expatriation », *L'Express*, 18 octobre, p. 156.

LEMOINE, Maryse (2008). *Housing Trajectories of Francophone Migrants in Toronto: The Case of French and Congolese Migrants*, mémoire de maîtrise, Université York.

LIBRARY OF CONGRESS (1994). *Zaire: A Country Study*, 4e éd., Washington, D.C., The Division.

MURDIE, Robert A., et Carlos TEIXEIRA (2003). « Towards a Comfortable Neighbourhood and Housing Immigrant Experiences in Toronto », dans Paul Anisef et Michael Lanphier (dir.), *World in a City*, Toronto, University of Toronto Press, p. 132-191.

NOVAC, Sylvia, *et al.* (2002). *Barriers and Privilege: State of Knowledge on Housing Discrimination*, Ottawa, Canadian Mortgage and Housing Corporation.

OFFICE OF THE UNITED NATIONS HIGH COMMISSIONER FOR REFUGEES (1994). « Populations of Concern to UNHCR: A Statistical Overview », [En ligne], [http://www.unhcr.org/statistics/STATISTICS/3bfa33154.pdf] (3 octobre 2010).

ONTARIO. COMMISSION ONTARIENNE DES DROITS DE LA PERSONNE (2007). *Les droits de la personne et le logement locatif en Ontario*, [En ligne], [http://www.ohrc.on.ca/fr/resources/news/housingbackfr/pdf] (10 novembre 2010).

OWUSU, Thomas Y. (1999). « Residential Patterns and Housing Choices of Ghanaian Immigrants in Toronto, Canada », *Housing Studies*, vol. 14, n° 1, p. 77-97.

PENISSON, Bernard (1986). « Un siècle d'immigration française au Canada (1881-1980) », *Revue européenne des migrations internationales*, vol. 2, n° 2, p. 111-125.

PEYRANI, Béatrice (2006). « Quand les *big boss* sont français », *Le Point*, 21 décembre, p. 79.

RAY, Brian, et Damaris ROSE (2000). « Cities of the Everyday: Socio-Spatial Perspectives on Gender, Difference, and Diversity », dans Trudi Bunting et Pierre Filion (dir.), *Canadian Cities in Transition: The Twenty-first Century*, 2e éd., Don Mills, Oxford University Press, p. 402-424.

SAINT-MARTIN, Emmanuel, *et al.* (2006). « Ces Français qui partent réussir ailleurs », *Le Point*, 26 janvier, p. 64.

STATISTIQUE CANADA (2007). *Statut d'immigrant et période d'immigration (8) et lieu de naissance (261) pour les immigrants et les résidents non permanents, pour le Canada, les provinces, les territoires, les régions métropolitaines de recensement et les agglomérations de recensement, Recensement de 2006 – Données-échantillon (20 %)*. Numéro de catalogue : 97-557-XCB2006007.

TEIXEIRA, Carlos (2006). « Housing Experiences of Black Africans in Toronto's Rental Market: A Case Study of Angolan and Mozambican Immigrants », *Canadian Ethnic Studies Journal*, vol. 38, n° 3 (automne), p. 58-86.

WORLD BANK GROUP (s. d.), *World Development Indicators*, [En ligne], [http:// www.library.yorku.ca/eresolver/?id=50224] (mot de passe requis). Une partie des données est accessible sur le site de la Banque mondiale (l'organisation qui gère le WDI) à l'adresse suivante : [http://data.worldbank.org/data-catalog/world-development-indicators/].

YINGER, John (1995). *Closed Doors, Opportunities Lost: the Continuing Costs of Housing Discrimination*, New York, Russell Sage Foundation.

L'ambition territoriale dans le dossier de la santé en français[1]

Anne Gilbert, Marie Lefebvre et Louise Bouchard
Université d'Ottawa

Du 14 au 17 mai 2001, un groupe de juges de la Cour d'appel de l'Ontario a entendu les appels d'un jugement de la Cour divisionnaire de l'Ontario, en date du 29 novembre 1999[2], qui ordonnait la fermeture de l'Hôpital Montfort d'Ottawa, seul hôpital en Ontario dont la langue de travail est le français et où les services en français sont disponibles en tout temps. Cette décision aurait eu pour effet de compromettre la formation des professionnels francophones de la santé et de disloquer Montfort en tant qu'institution francophone importante sur les plans linguistique, culturel et éducatif. On ne saurait trop insister sur la portée politique de ce jugement, confirmé à l'unanimité par la Cour d'appel sur la base du principe constitutionnel fondamental du respect et de la protection des minorités et de leurs institutions.

C'était la première fois au Canada que la reconnaissance juridique des droits de la minorité francophone s'étendait à la santé. Le jugement de la Cour d'appel précisait, en effet, que l'hôpital est un lieu d'épanouissement de la minorité, une institution ayant une fonction territoriale et un rôle dans la consolidation des identités et qu'il faut le protéger contre les aléas du politique. L'hôpital et les services qu'il fournit sont vus comme des composantes essentielles de la vitalité communautaire. Leur accès doit être non seulement maintenu, mais aussi consolidé localement, dans des lieux qui constituent autant de points d'ancrage de la vie française au sein des communautés.

Presque dix ans se sont écoulés depuis cette première reconnaissance du droit à la santé en français en Ontario, et les progrès accomplis sont visibles. Le jugement a ouvert la porte à de multiples initiatives, parmi lesquelles la mise en place d'une structure de représentation efficace à l'échelle nationale dont la Société santé en français et le Consortium national de formation en santé ne sont pas des moindres. Des réseaux réunissant les institutions existantes ainsi que les professionnels qui y œuvrent s'activent partout au pays, et en Ontario en particulier (Bouchard et Leis, 2008). Selon les organismes de la communauté, il s'agit là d'avancées très importantes du point de vue de la gouvernance francophone, de la prise en charge communautaire de l'organisation de la prestation des services destinés aux francophones de la province, ainsi que de la capacité de ceux-ci de refléter les valeurs de la minorité (Vézina, 2007). Divers modèles ont été examinés à cette fin dans le cadre de plusieurs forums provinciaux et nationaux, et une vision relativement cohérente de l'avenir des services de santé en français s'est ainsi développée, malgré la très grande hétérogénéité des communautés (Comité consultatif des communautés francophones en situation minoritaire, 2007 ; Savoie, 2005 ; Dion, 2003 ; Comité permanent des langues officielles, 2003 ; Commissariat aux services en français, 2009 ; Fédération des communautés francophones et acadienne du Canada, 2001).

Le discours recueilli auprès d'un échantillon d'intervenants du domaine de la santé dans la province[3] reflète pour l'essentiel cette vision. L'analyse qu'en a faite Louise Bouchard (2011) a non seulement mis en lumière des thématiques propres à la santé des populations, mais a aussi révélé des préoccupations plus culturelles, découlant de l'histoire et du patrimoine originaux de la francophonie ontarienne, des façons particulières de cette dernière de « faire communauté »[4]. Parmi celles-ci figure l'accès à ses propres établissements de santé, vus comme autant de points d'ancrage de la vie communautaire dans les différents milieux qu'elle occupe à l'échelle de la province et comme foyers d'identification, ou, autrement dit, l'accès à un territoire en santé, qui retiendra ici notre attention.

Notre objectif est d'étudier plus à fond dans ces énoncés les signes d'une telle ambition territoriale. Plus précisément, nous cherchons à savoir quel a été l'effet du jugement Montfort sur la façon d'aborder le dossier de l'accès aux services de santé en français au quotidien. Jusqu'à quel point la reconnaissance du droit à un service en français dans des établissements accessibles aux populations visées, dans les milieux dans lesquels celles-ci évoluent, a-t-elle mené à une attitude plus territoriale, c'est-à-dire préoccupée des lieux d'accès aux services, à leur répartition géographique, à leur mise en réseaux, aux milieux dans lesquels ils sont situés, à l'environnement plus large qui favorise leur développement ? Quelle place fait-on dans les différentes régions de la province à l'édification d'un tel territoire francophone autour des institutions du domaine de la santé ?

Balises théoriques et méthodologiques

Du « pays légal » au « pays réel » : l'actualisation du droit sur le terrain ?[5]

La politique et le droit ont, sans contredit, ouvert la porte à des avancées importantes dans le domaine de la santé en français en Ontario. Ils offrent à la minorité francophone les conditions lui permettant d'activer un véritable territoire en santé dans les différents milieux qui sont les siens, au gré d'une gouvernance réellement francophone des services. Depuis les premières revendications du rapport Dubois, publié en 1976, qui décriait l'insuffisance des services existants et l'absence de mécanismes permettant d'assurer l'accès des Franco-Ontariennes et des Franco-Ontariens à des services médicaux dans leur langue (Comité permanent des langues officielles, 2003 ; Bouchard et Leis, 2008), la lutte s'est déplacée sur un autre terrain, celui de l'élaboration d'initiatives visant, localement, à un meilleur accès à des services et à l'édification d'un véritable territoire francophone en santé. Près de dix ans après le jugement Montfort, où en sommes-nous à ce chapitre ?

Pour reprendre le langage imagé de Joseph Yvon Thériault (1995), si le « pays légal » est bien en place, qu'en est-il du « pays réel », tel qu'il résulte des actions quotidiennes des membres de la minorité et des initiatives de leurs leaders ? On peut, en effet, se demander quelles conséquences les luttes récemment menées pour assurer un territoire francophone en santé en Ontario ont eu sur la mobilisation de la communauté dans le dossier. Au milieu des années 1990, Joseph Yvon Thériault (1995) se disait inquiet de l'effort mis pour obtenir une plus grande reconnaissance juridique de la francophonie canadienne. Il voyait dans la judiciarisation de la question linguistique au pays certains dangers, notamment en ce qui concerne les rapports minorité/majorité. Vouloir enchâsser la différence francophone dans un cadre juridique non seulement provoque des querelles byzantines, disait-il, mais relègue au second plan l'intervention politique et les compromis dont elle témoigne. Le « pays légal » s'avère un outil qui peut certes définir le cadre dans lequel se réaliseront certaines pratiques sociales et politiques, mais il ne peut se substituer au débat entourant les façons dont les minorités et les majorités s'accommodent au quotidien. La montée du « pays légal » affaiblirait la délibération propre à l'espace public démocratique, estime Thériault, qui approfondit cette thèse en 2007, en s'appuyant cette fois sur les travaux de Linda Cardinal (2001). Dans l'affaire Montfort en 2001, par exemple, l'application d'une logique de droits aux droits linguistiques aurait éloigné les parties en cause de tout esprit de dialogue et de médiation. Il affirme ainsi qu'

> on n'a pas convaincu le gouvernement ontarien que la présence d'institutions francophones était une richesse nationale qui participait au compromis politique canadien. On a plutôt imposé à la majorité, par la force du droit, le droit de la minorité franco-ontarienne à son institution hospitalière (Thériault, 2007 : 293).

Ce qui, à son avis, risque de nuire à son développement à long terme plutôt que de le favoriser.

Thériault s'interroge aussi sur l'effet du « pays légal » sur la dynamique interne de la communauté. Les droits chèrement obtenus confèrent à celle-ci le sentiment d'une égalité des groupes en présence qui serait loin d'exister dans les faits et, avec lui, une fausse assurance quant au devenir collectif. Il craint que les élites francophones négligent le politique au profit du juridique et n'activent pas suffisamment les forces vives de la communauté. Dans le cas qui nous intéresse ici, on pourrait s'inquiéter, selon la logique de Thériault, du fait que cellesci, confiantes d'être devenues des partenaires du gouvernement de l'Ontario dans le cadre de la gouvernance qui est en train de se mettre en place, ne s'affairent plus autant à mobiliser leurs troupes que lorsqu'il y a péril en la demeure. L'action sociale s'en trouverait passablement ralentie sur le terrain, avec les effets que l'on peut craindre sur la mise en place du territoire en santé, qui s'avérait pourtant au centre du débat judiciaire (Thériault, 1995).

Les conclusions de l'étude réalisée par Linda Cardinal, en collaboration avec Caroline Andrew et Michèle Kérisit (2001) sur la mobilisation politique dans la foulée de l'adoption de la loi 8 confirment en partie cette hypothèse.

> La législation sur les services en français n'a été que partiellement utile aux acteurs travaillant à la mise en œuvre et au développement des services en français... Le mécanisme permettant aux acteurs d'obtenir des services en français est plus politique que législatif. L'importance du lobbying, du pouvoir discrétionnaire des fonctionnaires provinciaux, l'influence de certains élus et le tact des acteurs sur le terrain sont tous des éléments servant à expliquer l'influence des acteurs sur le développement des services en français. Par ailleurs ces acteurs influents sont au haut de la hiérarchie alors que les autres détiennent plutôt un pouvoir de représentation des besoins des francophones (Cardinal, 2001 : 122).

Les propos réunis par les chercheures sur la façon dont différents groupes d'acteurs du domaine de la santé perçoivent la situation donnent en même temps à croire que le « pays légal » n'est pas resté sans effet. La législation sur les services en français aurait donné lieu à une politisation intense des intervenants qui, par l'intermédiaire de relais stratégiques, ont tenté de faire avancer leur cause. S'ils n'ont pas toujours eu le succès escompté, notamment parce qu'ils ne maîtrisent pas le processus politique, ils se sont certes activés pour contourner les résistances de la majorité et accroître l'offre de services. La loi 8 a ainsi fourni l'occasion d'une réflexion poussée sur le modèle de services le plus apte à répondre aux besoins des francophones. Qu'il ait été imaginé malgré l'absence de ressources ne change rien au fait que le modèle privilégié – multidisciplinaire et communautaire – a réussi à parer au manque de tradition de services publics en santé en Ontario (Cardinal, 2001).

Bref, le « pays légal » et le « pays réel » s'influencent l'un l'autre, quoiqu'ils n'évoluent pas nécessairement au même rythme et avec la même portée. Nous avons voulu savoir, pour notre part, si les avancées offertes par le jugement Montfort ont commencé à porter fruit, au quotidien. Un regard sur la perception qu'ont les acteurs de l'avenir des services de santé en français nous fournira certaines pistes à cet égard.

Méthode et cueillette des données

Notre analyse repose sur une série d'énoncés formulés par les participants à un exercice de conceptualisation sur l'avenir des services de santé en français en Ontario. Cet exercice a été organisé dans chacune des régions dans lesquelles sont établis les réseaux de la Société santé en français en Ontario, soit dans le Nord, le Moyen-Nord, le Sud et l'Est. Trente-huit intervenants du domaine de la santé y ont participé, soit 13 à Timmins, 6 à Sudbury, 9 à Toronto et 10 à Ottawa. La sélection des participants visait, au départ, la représentation des milieux professionnel, communautaire, universitaire et de la gestion. Néanmoins, quelques tendances apparaissent : les milieux professionnel, communautaire et de la gestion sont relativement bien représentés, alors que le milieu universitaire – tant en ce qui concerne l'enseignement que la recherche – est quasi absent.

La cartographie conceptuelle[6] s'est faite en différentes étapes. Dans un premier temps, les participants ont été invités à compléter la phrase suivante : « Quand je pense à l'avenir des services de santé en français en Ontario, je pense à... », de manière à recueillir une série d'énoncés représentant différentes dimensions du problème. Nous avons ainsi obtenu un peu plus d'une centaine d'énoncés pour chacune des rencontres, énoncés que les participants ont ensuite été invités à hiérarchiser selon la valeur relative qu'ils leur accordaient et à regrouper selon les thèmes importants qui, selon eux, s'en dégageaient. Divers thèmes représentant la diversité des perceptions ont ainsi été mis en lumière. Ces thèmes sont sensiblement les mêmes d'une région à l'autre quoique l'ordre et le libellé puissent varier en fonction du contexte propre à chacune : l'offre de services, l'accès aux services, les moyens d'action, les ressources, la formation et le fait minoritaire (Bouchard, 2011).

Le principal avantage de cette méthode est qu'elle donne aux participants la possibilité d'exprimer toutes les représentations qui leur viennent à l'esprit dans une démarche à la fois individuelle et collective, de faire leurs propres relations de sens et de les nommer selon leur choix, ce qui réduit les risques d'erreurs d'interprétation par les chercheurs. C'est à ces représentations que nous nous sommes intéressées en analysant le contenu des énoncés dans leur intégralité, en les interprétant et en leur donnant un sens et, plus précisément, en relevant ceux qui révèlent une préoccupation territoriale[7].

C'est ainsi que notre attention s'est portée sur les énoncés des intervenants relatifs aux établissements de santé – cliniques, hôpitaux, centres de santé communautaires – qui constituent autant de lieux d'accès aux services de santé en français. Francophones ou bilingues, anciens ou nouveaux, de première ligne ou spécialisés, ces établissements sont les points d'ancrage d'une vie française dans le domaine de la santé. Leur répartition géographique à l'échelle de la localité et de la région, la proximité des clientèles qu'ils desservent, bref l'espace qu'ils configurent et la mobilité que celui-ci suscite représentent, pour leur part, un aspect fondamental de l'accessibilité aux services, tant en ce qui concerne la prévention que le traitement des maladies. Enfin, les réseaux, formalisés ou non, qui les relient à distance, constituent un autre élément géographique majeur de l'offre de services de santé en français. Cet espace et ces réseaux alimentent un ensemble de pratiques et nourrissent les identités. Ils délimitent un territoire en santé qui n'est pas sans effet sur la cohésion par laquelle la minorité se maintient et se reproduit, malgré la distance et la dispersion[8]. Nous avons lu les propos tenus sur les lieux d'accès à la santé en français et sur les réseaux qui les relient, sur leur durabilité, comme une manifestation incontestable d'une attitude territoriale des acteurs.

Les milieux francophones dans lesquels se construisent ces lieux, cet espace et ces réseaux sont aussi des composantes essentielles de l'accès aux services (Gilbert et Lefebvre, 2008). Les caractéristiques de leur population – âge, origine, profil socio-économique et, bien sûr, langue – représentent des facteurs déterminants dans la capacité des divers milieux de soutenir une vie française au quotidien. Les pratiques linguistiques, l'appartenance et l'identité, l'engagement des francophones caractéristiques des milieux francophones, des plus bilingues jusqu'aux milieux à forte dominance anglophone, déterminent fortement la possibilité de recevoir des services de santé en français. Le discours qu'on tient sur eux nous a ainsi intéressés.

Enfin, l'environnement ou, si l'on veut, le contexte plus général de la mise en place des services s'avère tout aussi fondamental (Gilbert et Lefebvre, 2008). Le rapport minorité/majorité à l'échelle locale, régionale, provinciale, voire nationale, tel qu'il se profile notamment dans le champ politique influence grandement l'accès aux services de santé en français. Les lois, les politiques et les programmes des divers paliers de gouvernement en matière de santé[9] ainsi que dans le domaine des langues sont des conditions incontournables pour créer de nouveaux services ou pour consolider les services existants et former des ressources humaines, etc. Plus largement, l'environnement économique global et les allocations budgétaires qu'il permet sont aussi des facteurs qui favorisent l'accès.

Notre étude porte sur la place occupée par ces différentes composantes du territoire (les établissements de santé, leur répartition géographique, les réseaux, les milieux, l'environnement, bref la capacité de faire communauté en français dans le domaine de la santé) dans la revendication actuelle en santé en Ontario. Qu'en est-il, en effet, de l'ambition territoriale dans le discours sur les services de santé en français en Ontario ? Comment s'exprime-t-elle ? Quelles sont les dimensions de l'accès les plus présentes dans les propos tenus par les intervenants sur ces services ? Quelles sont celles qui, au contraire, sont gardées sous silence ? Y a-t-il des différences dans le discours selon les régions ? Nous analyserons d'abord l'ensemble des énoncés pour ensuite comparer les régions entre elles du point de vue de la représentation de l'enjeu de la santé en français dans la province.

La conceptualisation du territoire

Les grands thèmes : l'offre de services et les enjeux reliés à la gouvernance et à la mobilisation communautaire

L'analyse des propos des intervenants dans le domaine de la santé en Ontario français laisse entrevoir des préoccupations récurrentes autour des enjeux touchant, d'une part, l'offre des services et tout ce qu'elle implique en ce qui a trait à la gestion et à l'accès aux ressources, notamment aux ressources humaines et, d'autre part, des défis liés à la gouvernance et à la mobilisation communautaire. Près de trente-cinq ans après les premières revendications à l'égard de la santé en français en Ontario et malgré les avancées qu'elles auront permis, les propos recueillis montrent encore une certaine crainte lorsqu'on envisage l'avenir des services de santé en français. On aborde le dossier de façon un peu alarmiste ; luttes, champ de bataille, perte de *momentum*, sentiment d'urgence et vulnérabilité sont autant de termes qui teintent les représentations des intervenants. Les réalisations dans ce domaine sont loin d'être achevées. En effet, les services semblent encore insuffisants, parfois absents et surtout mal adaptés aux besoins des francophones. D'un côté, les intervenants rencontrés relancent encore la question du nombre et déplorent le fait que malgré la présence massive de francophones, il faut encore demander et revendiquer des services en français pour les obtenir. Même dans le Nord et dans l'Est, les milieux les plus favorables à l'implantation de services, on considère qu'ils sont encore trop peu nombreux. Par ailleurs, les intervenants semblent tous s'accorder sur le fait que les services ne doivent pas être offerts indépendamment des populations, mais être accessibles localement, dans des lieux qui constituent autant de points d'ancrage de la vie française au sein des communautés. En ce sens, le bilinguisme des institutions représente, selon eux, un défi à l'accès aux services, la désignation n'ayant pas permis d'en obtenir un véritable accès. On mentionne à maintes reprises le faux bilinguisme des professionnels à des postes désignés et le manque de visibilité du français dans les services. Des préoccupations qui rappellent étroitement les réflexions issues du rapport Dubois, publié quelque trente-cinq ans plus tôt, selon lequel il fallait faire une place suffisante au français pour que les francophones de l'Ontario soient assurés de services de santé dans leur langue, notamment en formant des professionnels de la santé francophones, en embauchant des médecins et des cadres francophones et en assurant une représentation équitable des francophones au sein des instances décisionnelles, etc. (Hayday, 1994). Les mécanismes qui permettraient aux francophones d'obtenir un véritable accès aux services dans leur langue semblent inadéquats, voire absents. On souligne d'emblée la difficulté de former, de recruter et de retenir des professionnels de la santé en français, de même que la faible visibilité et le manque d'outils mis à leur disposition pour pratiquer dans cette langue, comme l'omniprésence de l'anglais dans le milieu universitaire – tant sur le plan de la formation que sur le plan des documents officiels produits. Encore une fois, un message qui n'est pas sans faire écho à celui qui avait été lancé au gouvernement dès le milieu des années 1970.

Par ailleurs, les préoccupations qui ont mené aux revendications des années 1980 sont encore présentes dans le discours. On fait référence, comme on l'avait fait il y a vingt ans, aux questions de la gouvernance, de la mobilisation des communautés, de la concertation locale et régionale, de la coopération entre les centres de santé et les villes, et de la mise en place d'un réseau institutionnel de services de santé en français en Ontario. On peut lire dans le discours que, malgré les victoires institutionnelles et législatives comme celles de l'Hôpital Montfort, la législation n'a pas encore permis une vraie intégration des services et une véritable mise en place d'un espace francophone dans le domaine de la santé, qui permettrait un meilleur accès aux services, tant à l'échelle locale que régionale. En effet, les intervenants en santé en Ontario semblent s'accorder à dire que malgré l'existence du « pays légal », le « pays réel », marqué par un important rapport minorité/majorité linguistique, met encore trop de freins aux réalisations. Parmi ceux-ci, la réponse de la majorité, qui demeure encore trop fermée à la minorité francophone, et le soutien du gouvernement sont les plus fréquemment mentionnés. Un intervenant rencontré à Sudbury parle même de « la difficulté de travailler dans un milieu anti-français ». L'environnement, où l'anglais est omniprésent, ne semble pas encore assez favorable à l'émergence d'une véritable gouvernance francophone. Les intervenants rencontrés parlent des gains réalisés en matière de santé, mais il semble, selon eux, qu'il reste encore du chemin à faire pour arriver à édifier en Ontario un véritable espace francophone en santé qui servirait d'ancrage à la communauté, ferait partie de sa référence et contribuerait à établir son identité.

Les termes du débat autour des services de santé en français ne semblent donc pas avoir beaucoup changé au cours des dernières décennies. Les mêmes constats et les mêmes inquiétudes demeurent face à la reconnaissance politique et juridique de l'accès à la santé en français. De nouvelles préoccupations apparaissent toutefois, dont plusieurs témoignent d'une certaine ambition territoriale. Le reste du texte vise à les présenter.

Lieux et réseaux

Ainsi, la revendication actuelle en santé en Ontario français, telle qu'elle se manifeste dans les propos des intervenants, met au premier plan la consolidation des services de santé existants, la création de nouveaux services et la formation de ressources humaines, l'avenir passant par l'accès à des services en français de qualité ainsi que par des ressources diversifiées et adaptées aux besoins de la communauté franco-ontarienne et de ses populations, tant de souche qu'immigrantes. Ces revendications, qui reviennent comme un leitmotiv dans toutes les rencontres, ne sont pas dénuées d'ambition territoriale. En effet, il est clair pour les intervenants rencontrés que l'accessibilité ne se définit pas seulement en termes linguistiques, mais qu'elle comporte aussi une dimension géographique.

On évoque le besoin de cliniques et de centres médicaux où les services sont offerts en français. Les centres de santé communautaires sont présentés comme des modèles à suivre. On insiste sur le besoin de tels lieux d'accès aux services dans toutes les régions de l'Ontario et, en particulier, dans le Nord. On déplore la variation géographique de l'offre de services, leur concentration dans quelques rares communautés. Les communautés les plus minoritaires seraient les plus vulnérables. On exige « un continuum de soins, peu importe la région ». La question du découpage administratif du territoire eu égard à la santé, qui ne correspond pas nécessairement à la distribution des populations francophones, préoccupe les participants. L'offre et la demande seraient loin de coïncider, si bien que les ressources ne sont pas toujours utilisées de façon optimale. Les intervenants réunis à Ottawa ont parlé de la nécessité d'élaborer « un plan d'accessibilité au niveau régional ». Ils ont aussi insisté sur le besoin de créer « des entités de planification locales francophones ».

Le transport apparaît comme un dossier important. On propose de « rendre les services mobiles pour les rapprocher des citoyens ». Le réseautage est maintes fois évoqué. À ce chapitre, les propos s'articulent autour de la constitution d'un réseau qui assurerait un meilleur partage des ressources, en assurant une plus grande circulation de l'information sur les besoins, d'une part, et sur les services disponibles, d'autre part. On mise sur les nouveaux moyens de communication à distance pour établir un système de santé virtuel où le patient serait informé des services offerts et des modalités pour s'en prévaloir. La télémédecine est vue comme un moyen de développer l'accès aux soins de santé en français dans les régions éloignées. Bref, le réseau fondé sur les nouvelles technologies de l'information permettrait de rapprocher les services des résidants, d'en étendre certains autres aux territoires moins bien desservis. Il bonifierait l'offre, partout en province.

On n'élabore cependant pas beaucoup sur l'organisation spatiale d'un tel réseau. Même si l'idée d'un réseau communautaire reliant tous les intervenants francophones dans le dossier de la santé – représentants de la communauté, gestionnaires d'établissements de santé, associations professionnelles, etc. – fait partie des revendications francophones depuis plusieurs années déjà (Comité consultatif des communautés francophones en situation minoritaire, 2001), la conceptualisation d'un tel réseau à l'échelle régionale ou provinciale serait encore floue.

Les milieux

De nombreux énoncés portent sur les milieux dans lesquels s'érigera un espace francophone en santé. On a relevé partout les caractéristiques propres aux clientèles francophones comme des facteurs permettant aux différentes communautés de se doter de services variés et de qualité. À cet égard, les intervenants entretiennent un discours assez critique et pragmatique sur les comportements communautaires et soulignent la difficulté d'œuvrer dans des milieux où les francophones sont assez timides dans leurs revendications et où ils ont tendance à plier l'échine, leur identité n'étant pas très affirmée dans leurs actions. Ce contexte n'est pas le propre du domaine de la santé. Des études sur les minorités francophones ont d'ailleurs mis en lumière les comportements, parfois paradoxaux et contradictoires, des francophones qui évoluent dans des milieux où ils sont minoritaires (Gilbert et Lefebvre, 2008). En effet, bien que pour les minorités francophones le français soit au cœur des identités et des perceptions, il n'en demeure pas moins que ces minorités vivent généralement en anglais. Et puisque les véritables représentations et symboles du rôle et de l'importance de la langue et de la culture françaises se construisent dans les pratiques quotidiennes, et dans la mesure où les francophones intègrent ces contradictions, on peut s'interroger sur la possibilité de consolider un espace francophone en santé.

Les propos des intervenants témoignent bien de ces inquiétudes. Ceux qui ont participé à la rencontre tenue à Sudbury déplorent la tendance des francophones à abdiquer lorsque vient le temps de demander des services en français : « Les francophones n'ont pas beaucoup d'autorité », « il y a un manque d'intérêt à demander d'être servi en français » et « il y a une gêne à s'afficher comme francophone et un manque de fierté d'être francophone ». Ces comportements sont influencés par un milieu où règne la dualité linguistique et sont révélateurs d'une population timide dans ses revendications, ce qui n'est pas sans inquiéter les intervenants lorsqu'ils entrevoient l'avenir des services de santé en français en Ontario. Le rapport minorité/majorité est aussi au centre du discours tenu à Ottawa, où, selon nos interlocuteurs, « plusieurs Franco-Ontariens acceptent les services en anglais ». En effet, les intervenants mentionnent à maintes reprises ce rapport comme un contexte qui nuit à la mise en place et à l'accès à des services de santé en français. Ils l'invoquent pour justifier leurs doutes quant à la capacité et à la volonté de la communauté francophone d'inscrire ces problématiques à l'intérieur du rapport politique qu'elle entretient avec la majorité anglophone, fortement marqué par l'effacement de la frontière avec celle-ci. D'une part, on affirme l'importance de conserver les services en français et de les rendre accessibles à la minorité et, d'autre part, on déplore le fait que les Franco-Ontariens, pour la plupart bilingues, ont tendance à accepter des services en anglais par habitude, par automatisme ou par facilité ou, tout simplement, pour recevoir les services de santé dont ils ont besoin. « Tant qu'à attendre, vaut mieux parler anglais », déclare à cet égard un participant à la rencontre tenue à Timmins. Le manque de ressources en français dans le domaine de la santé est souvent évoqué et, à cause de leur vulnérabilité, les francophones qui ont besoin de soins de santé vont souvent adopter le chemin le plus court et le plus facile. Les enjeux relatifs à l'offre et à l'accès des services de santé en français qui émanent du discours révèlent des pratiques de consommation de services qui s'organisent de façon à ce que le minoritaire s'insère dans l'espace majoritaire pour des raisons légitimes de facilité d'accès (n'ayant pas le choix) ou de préférence. Et pour ajouter à ce difficile contexte minoritaire/majoritaire, il semble qu'il faudrait encore lutter contre la croyance de certains que les services en français sont moins bons que ceux offerts en anglais, sans compter le manque d'ouverture et de compréhension de la majorité face aux enjeux des francophones. La récurrence de l'évocation du rapport minorité/majorité dans les propos recueillis montre bien la place tenue par les préoccupations quant au rôle du milieu dans l'avenir des services de santé en français en Ontario.

L'environnement

L'environnement, c'est-à-dire le contexte plus large de la mise en place des services de santé en français, s'avère une source de préoccupation majeure. Dans chacune des quatre régions, les difficultés et les contraintes systémiques qui affectent l'environnement sont considérées comme des freins. La problématique des allocations budgétaires est soulevée à maintes reprises, les intervenants dénonçant le fait que les fonds sont davantage octroyés aux institutions anglophones. Cette problématique est largement amplifiée par le fait que dans le contexte minoritaire dans lequel les francophones évoluent, il leur faut constamment lutter contre une mauvaise compréhension de la culture et du vécu minoritaires de la part de la majorité.

Les propos tenus lors des quatre rencontres sont ainsi empreints de revendications assez politiques, notamment en ce qui concerne les conditions de possibilité de la prise en charge de sa santé par la minorité franco-ontarienne. On déplore l'absence d'une perspective francophone dans la conception et dans l'organisation du système et ses effets sur les actions destinées à développer les services. La mobilisation, tant individuelle que collective, apparaît dans ce contexte comme un enjeu fondamental pour l'avenir des services. Les écoles sont citées en exemple. On fait aussi référence au cas Montfort, où la mobilisation communautaire a permis de contrecarrer un environnement qui s'annonçait particulièrement hostile aux francophones.

La discussion a aussi porté sur les stratégies à privilégier pour faire face, au quotidien, à un système qui ne favorise pas le développement de services de santé en français. Certains énoncés portent ainsi sur la nécessité de négocier avec la majorité. Bien que sensibles à l'importance d'une gestion francophone, certains participants utilisent ici un discours qui se rapproche de celui d'un Gilles Paquet (2000) par exemple, qui, s'en prenant à l'affidavit de Roger Bernard (2000) présenté dans la cause Montfort, allègue que la collaboration avec les anglophones n'est pas nécessairement une stratégie déraisonnable ou une forme de trahison déshonorante, mais une forme de gouvernance éclairée. Paquet soutient que la collaboration est essentielle pour assurer la bonne gouvernance, mais que celle-ci réclame également une participation active de la communauté, qui doit notamment renforcer ses capacités, apprendre à mieux s'informer, à faire entendre sa voix et à combattre plus facilement, au risque d'une ethnicisation, d'une radicalisation et d'une judiciarisation hasardeuse du débat. Le métissage institutionnel serait pour lui une stratégie de lutte contre l'assimilation, plutôt que l'inverse. Dans cette optique, les intervenants n'excluent pas l'idée de se chercher des alliés anglophones pour mieux contrecarrer une situation qui ne les favorise pas, en établissant, par exemple, des relations avec les institutions anglophones pour s'assurer une offre de services plus diversifiés et plus accessibles.

Institutions et territoire

La question identitaire est au centre du propos. On insiste sur le fait que l'avenir des services de santé en français en Ontario repose sur le « développement d'une identité, d'un engagement et d'une fierté francophones qui passe de prime abord par l'affirmation ». L'expansion des services de santé en français est vue comme un facteur pouvant contribuer à « développer une appartenance à la francophonie » et à « construire leur identité autour d'une communauté de vie française ». Le mot d'ordre semble être que si l'on veut renforcer la vie française, il faut se donner des institutions et en assurer la gouvernance, « par les francophones, pour les francophones ». Ainsi, l'idée de l'accès à ses propres institutions de santé, qui constitueront autant de points d'ancrage de la vie communautaire dans les différents milieux qu'elle occupe et qui seront les bases de l'édification d'un territoire francophone, est présente dans le discours, quoique ce ne soit pas de façon explicite.

Les différences régionales

Les énoncés que nous avons recueillis dénotent que l'on se représente la problématique de la santé de façon particulière selon la région (Bouchard, 2011). Dans les réunions tenues à Toronto et à Ottawa, les milieux les plus métropolitains, les préoccupations concernent surtout la diversité. On reconnaît d'emblée le caractère multiculturel des milieux, et les propos sont orientés vers les moyens d'assurer un accès à des services qui sont adaptés aux différentes populations francophones, soit les francophones de souche et les immigrants. Les intervenants parlent de « francophonies multiples » ainsi que de « l'importance des nouveaux arrivants dans l'évolution du système et de la nécessité de les encadrer, les accueillir et les mobiliser ». La pluralité culturelle francophone semble être un défi au développement des services de santé en français, même si, en même temps, on est d'avis que l'avenir se construira autour de celle-ci. Les questions reliées au territoire sont peu abordées. Tout au plus mentionne-t-on, au gré de la discussion, l'absence de quartiers francophones à Toronto et son effet sur le repérage des services en français ainsi que sur l'intégration des nouveaux venus à la communauté ; le besoin de décentralisation des services et leur arrimage avec les besoins de la communauté ; et la pertinence des services mobiles et des nouvelles technologies de communication.

Les intervenants des réseaux du Moyen-Nord et du Nord rencontrés à Sudbury et à Timmins tiennent, quant à eux, des propos de nature plus géographique. Ils sont, en effet, un peu plus sensibles aux réalités locales et régionales, notamment en ce qui concerne, d'une part, la perception du français dans le Nord et, d'autre part, l'accès difficile et restreint aux services et à la formation en français en région. C'est ainsi que des termes comme « sentiment d'infériorité », « isolement », « éloignement » et « répartition géographique au sein de la région » sont évoqués à quelques reprises par les intervenants pour caractériser la situation particulière de ces communautés. Selon les intervenants, les communautés rurales du Nord ont des besoins particuliers – souvent ignorés – en ce qui concerne l'offre de services, qui permettraient à la population de ne plus avoir à se déplacer. On évoque les caractéristiques des milieux et l'importance de regrouper les organismes francophones de l'Ontario au moyen de réseaux limitant les déplacements pour les francophones du Nord. Ainsi, dans le Nord, les propos des intervenants sont orientés autour de l'accès linguistique, notamment en ce qui concerne l'importance d'adapter les services et les documents au français de la région, mais portent aussi sur la question géographique. On est plus sensible aux barrières géographiques, notamment en ce qui concerne la formation, le recrutement et la rétention des professionnels ainsi que l'offre de services, lesquels sont souvent assez peu diversifiés, ce qui oblige les francophones à se déplacer pour obtenir les services dont ils ont besoin.

Synthèse et réflexion

Une réflexion à poursuivre

L'offre active de services, grâce à l'implantation de lieux d'accueil pour la prestation de services de santé en français, reliés en réseau pour une portée accrue, est un thème central dans le discours qui a été tenu lors des quatre exercices de cartographie conceptuelle que nous avons menés. La présence de ces lieux d'accueil dans toutes les régions de la province est une préoccupation majeure. Mais on ne s'aventure guère au-delà de cet objectif général. Mise à part la référence au modèle du centre de santé communautaire et à sa capacité de devenir un point d'ancrage local pour les populations francophones dans le domaine de la santé, on en dit peu sur les modalités par lesquelles de tels centres pourraient exercer sur les clientèles francophones l'attrait attendu, faire partie de leur référence et nourrir ainsi l'identité individuelle et collective. Leur localisation est à peine évoquée. Sauf pour le Nord, on semble peu préoccupé par la nécessité qu'ils soient situés à proximité des populations qu'ils desservent. Les questions de l'emplacement des établissements de santé dans l'espace local et régional, de leur répartition entre villes, banlieues et milieux ruraux, entre les châteaux forts traditionnels de la francophonie et les nouveaux espaces francophones n'ont guère été soulevées. Pour ce qui est du réseau, on a fait remarquer plus haut jusqu'à quel point les propos restent superficiels, du moins en ce qui concerne sa mise en place. Tous évoquent les bienfaits de ce réseau, mais personne ne semble réfléchir à sa structuration entre établissements francophones et bilingues, voire anglophones, à la place qu'y occuperont les différentes composantes du système de santé, etc. Il en ressort que le propos est ainsi davantage politique que géographique, la réflexion en matière de territoire se portant quasi exclusivement sur les possibilités globales offertes à la minorité par les différents paliers de gouvernement, la façon d'allouer les ressources, les politiques et les lois qui l'encadrent.

La teneur des propos que nous avons entendus est certes liée, pour une part, au format de la cueillette des données. Les participants proviennent de milieux très différents et ils y exercent des fonctions diverses, dans un éventail d'établissements. Il ne leur était donc peut-être pas naturel d'évoquer les lieux dans lesquels ils évoluent et de territorialiser ainsi les ambitions dont ils nous ont fait part concernant l'avenir des services de santé en français dans la province. À notre avis, leur relatif silence à propos du territoire ne peut cependant s'expliquer entièrement par les contraintes de la méthode. Il nous a semblé, au gré de notre étude, que le problème est d'une autre nature et qu'il relève d'un décalage entre le discours légal et politique et les possibilités qu'entrevoient les intervenants sur le terrain. C'est comme si ces derniers n'arrivaient pas à se l'approprier parce qu'ils doivent agir quotidiennement dans un environnement qui leur est souvent hostile et où les ressources se font rares.

L'enjeu de la minorisation

L'enjeu de la minorisation est très présent dans le discours[10]. On évoque, d'une part, les contraintes vécues dans le système de santé de la province, peu ouvert à la minorité franco-ontarienne et à ses besoins particuliers. On rappelle, d'autre part, les défis posés par l'usage du français dans les milieux que la minorité a édifiés au fil du temps, marqués par le rapport minorité/majorité. Le recours à l'anglais comme langue d'usage dans les services et l'hésitation à s'affirmer comme francophone représentent des freins importants. On a évoqué la difficulté à susciter la demande de services en français. Bref, la vulnérabilité des Franco-Ontariennes et des Franco-Ontariens dépend de leur situation géographique, rarement favorable. Tant au sein qu'à l'extérieur de la communauté, la minorité francophone est loin de jouir des meilleures conditions pour son épanouissement, ce qui a des répercussions importantes sur l'édification d'un territoire francophone en santé. Tous les participants le ressentent.

Le difficile passage à l'institution

Réaffirmant la place de la langue de la minorité et des institutions dans lesquelles celle-ci peut s'affirmer dans l'espace public ontarien et le droit des institutions d'être protégées, le jugement Montfort a permis de déplacer la revendication de services de santé en français dans des établissements désignés vers celle de la gouvernance francophone de ces derniers ; de développer une nouvelle vision, centrée sur l'institution francophone dans le domaine de la santé, ainsi que sur ses effets sur l'appartenance et l'identité, sa fonction territoriale et son rôle dans l'épanouissement de la communauté. Or, le passage à la revendication d'institutions francophones contribuant, au même titre que l'école, à la territorialisation des Franco-Ontariennes et des Franco-Ontariens semble se faire difficilement. Le terme est rarement utilisé dans les énoncés recueillis, bien que l'idée soit de plus en plus répandue que l'institution joue un rôle primordial dans le maintien de la langue, la transmission de la culture et l'émergence de la solidarité au sein de la minorité franco-ontarienne (Commissariat aux services en français, 2009). ChristopheTraisnel et Éric Forgues (2009) allèguent qu'adopter comme priorité le soutien à la constitution de réseaux et à la formation par les organisations francophones œuvrant dans le domaine de la santé aurait écarté d'autres facteurs importants du développement des services, dont celui d'institutions francophones. Le cas Montfort, censé être une figure emblématique de la mobilisation collective et des victoires possibles, n'est évoqué que dans une seule des quatre rencontres, ce qui porte à croire qu'il n'a pas le caractère exemplaire qu'on avait imaginé. Quelque dix ans après la mobilisation historique pour garder cet établissement ouvert, qu'en est-il de l'institution dans la revendication franco-ontarienne (Thériault, 2005) ?

Décalage entre « pays légal » et « pays réel »

Notre étude montre ainsi un certain décalage entre le « pays légal » et le « pays réel ». C'est comme si le « pays légal », arraché au prix de difficiles luttes, ne s'appuyait pas sur le compromis politique entre minorité et majorité, qui permettrait de l'actualiser dans la réalité des milieux francophones de la province. Comme si derrière les lois ne se profilait pas une volonté partagée avec la majorité de bâtir un territoire francophone en santé. Ne pouvant compter sur une telle volonté, les intervenants s'investissent entièrement dans la négociation avec les anglophones. Et cette négociation occupe encore une large place dans leur projet. Nos interlocuteurs ont souvent évoqué le rapport minorité/majorité, les inégalités qui le caractérisent, le manque de ressources, la lutte qu'il leur faut mener, les alliances qu'il faudrait faire, etc. Ainsi, le discours reste encore largement revendicateur, comme si les francophones n'étaient pas encore devenus des décideurs, pour reprendre l'expression d'Hubert Gauthier (2007).

Différents éléments du contexte l'expliquent, certes. Selon Gauthier, la reconnaissance officielle des réseaux francophones de santé et leur positionnement dans le système restent à faire. Les francophones n'ont toujours pas la mainmise sur la planification, l'allocation des ressources et l'organisation des services, les trois fonctions clés de la santé. Notre recherche ne porte pas sur cette dimension importante qu'est la gouvernance des services et des institutions qui les fournissent. D'autres traitent de cette question, avec de meilleures compétences que les nôtres (voir, notamment, Vézina, 2007). Notre contribution se situe en aval, sur le plan de la réflexion sur les ambitions que les francophones nourrissent à l'égard de ces services pour lesquels ils luttent toujours et qui animeront leur action lorsqu'ils en deviendront les pleins gestionnaires.

Conclusion

La francophonie ontarienne rêve du jour où elle aura accès à un territoire qui sera le sien dans une variété de secteurs de la vie collective. La santé n'échappe pas à cette ambition territoriale. Cette dernière se fait toutefois assez timide, le pragmatisme des intervenants freinant quelque peu les ardeurs. Les propos qu'ils ont tenus, lors des exercices de cartographie conceptuelle sur l'avenir des services de santé en français en Ontario, le démontrent. Les participants à nos quatre exercices de cartographie conceptuelle insistent sur le besoin de consolider les services existants et de les offrir dans des lieux où les francophones se sentiraient chez eux et envers lesquels ils développeraient un sentiment d'appartenance. Mais les milieux minoritaires étant ce qu'ils sont, sans parler des défis posés par un environnement somme toute assez peu favorable, ils ne s'aventurent pas très loin sur le terrain des modalités de l'édification d'un véritable territoire francophone en santé. L'institution est évoquée, mais davantage comme un projet appartenant à un horizon lointain que comme un enjeu actuel. En guise de conclusion, on peut s'interroger sur les effets d'une telle vision sur l'avenir des services de santé en français.

En effet, les interprètes du développement de la francophonie canadienne insistent tous pour dire que, pour se maintenir et se consolider, la communauté doit mettre sur pied des organismes qui inciteront les particuliers à se joindre à elle, à s'engager (Breton, 1964 ; Savas, 1990 ; Thériault, 2005). En plus de permettre des interactions entre les personnes et de jouer un rôle de communalisation, les institutions contribuent en effet à créer un capital social, c'est-à-dire des réseaux de relations qui permettent aux gens et aux communautés d'accéder aux ressources, de se prendre en charge et de satisfaire leurs besoins (Bouchard et Gilbert, 2005). Mais plus encore, c'est l'appropriation, tant matérielle que symbolique, de ces lieux et de ces espaces qui interpelle généralement, en ce qu'elle permet de multiplier les possibilités de vivre des expériences communes, de développer et de consolider l'appartenance et l'identité à la communauté, bref de créer un capital socio-territorial[11] capable d'en assurer le développement (Fontan, Klein et Tremblay, 2005). Sans institutions, les minorités francophones se trouvent dépourvues d'instruments essentiels à leur vitalité (Gilbert, 2010). Dans le domaine de la santé, on ne semble pas avoir encore beaucoup profité de l'ouverture créée en ce sens par le jugement Montfort, un jugement que même les artisans du milieu n'ont pas, semble-t-il, véritablement intégré à leur vision et à leur ambition. L'environnement n'y est pas propice, nous en convenons. Il ne faudrait donc pas s'en inquiéter outre mesure, des transformations aussi fondamentales ne se mesurant pas sur quelques années. Nous restons toutefois sensibles à l'argument de Thériault (2005) selon lequel l'institution, même s'il ne s'agit que d'un rêve, est nécessaire à l'Ontario français pour « faire communauté ».

NOTES

1. Ce texte émane d'un projet mené par Louise Bouchard, conjointement avec Maurice Lévesque et Anne Gilbert. Louise et Maurice, assistés par divers étudiants, ont assuré la collecte et la mise en forme des données. Anne Gilbert et Marie Lefebvre sont responsables de l'analyse géographique qui fait l'objet du présent article. Le projet, intitulé « Le fait minoritaire et les interventions dans le champ de la santé : capital social et rapport à la majorité », a été financé par le Conseil de recherche en sciences humaines du Canada (CRSH).
2. Résumé du jugement de la Cour d'appel de l'Ontario sur l'Hôpital Montfort d'Ottawa, tiré du site Web d'Impératif français :« L'Hôpital Montfort d'Ottawa : résumé de *Lalonde* c. *Commission de restructuration des services de santé* », [En ligne], http://www.imperatif-francais.org/bienvenu/articles/2001/l-hopital-montfort-d-ottawa.html].
3. L'analyse repose sur les énoncés produits lors d'un exercice de cartographie conceptuelle sur l'avenir des services de santé en français en Ontario. Cet exercice a été mené par Louise Bouchard et Maurice Lévesque en 2008. Il visait les quatre grandes régions de la province (Moyen-Nord, Nord, Sud et Est). Au total, 38 intervenants francophones du domaine de la santé y ont participé.
4. Voir, aussi, Lévesque (2010), sur un exercice similaire mené auprès d'intervenants de l'ensemble du pays.
5. Le contexte politique et juridique dans lequel s'est effectuée la mise sur pied des services de santé en français en Ontario n'a pas été étudié de façon systématique. Matthew Hayday en faisait une première analyse en 1994. Nous en évoquions quelques éléments dans un texte préparé avec nos collègues Michèle Kérisit, Christine Dallaire, Cécile Coderre et Jean Harvey, publié en 2005 (Gilbert *et al.* 2005b). L'étude de Linda Cardinal (2001) fournit aussi quelques indications fort utiles sur la structure d'opportunité politique offerte par diverses décisions législatives et administratives prises par les gouvernements fédéral et ontarien depuis le début des années 1970 jusqu'à la fin des années 1990. Louise Bouchard et Anne Leis, dans leur article « La santé en français » (2008), reprennent, quant à elles, les éléments contextuels qui président à une action plus efficace dans le domaine de la santé.
6. La cartographie conceptuelle est une méthode issue de la recherche en métacognition permettant de recenser l'univers des représentations autour d'un problème donné et leur organisation logique (Dagenais *et al.*, 2008 ; Trochim, 1989).

7. Les prémisses conceptuelles à la base de cette réflexion sont inspirées étroitement du modèle environnemental de la vitalité communautaire élaboré par Gilbert, Langlois, Landry et Aunger (2005a).
8. Voir, à cet effet, les *Cahiers de géographie du Québec* (2003), numéro thématique « Développement régional et cohésion sociale », vol. 47, n° 131.
9. Pensons, entre autres, à la création des 14 réseaux locaux d'intégration des services de santé (RLISS) qui, depuis la réforme majeure du système de santé de l'Ontario en 2004, sont responsables de toutes les décisions touchant la planification et l'évaluation des services, de l'allocation des ressources, bref de voir à ce que le système de santé local accorde la priorité aux besoins de la communauté franco-ontarienne (Commissariat aux services francophones, 2009). Depuis l'adoption de la loi 36 en 2006, les RLISS peuvent compter sur six entités de planification des services de santé en français, qui ont pour mandat de les conseiller sur les questions liées à la prestation de ces services (Bouchard et Leis, 2008 ; Savoie, 2005). Dernièrement, le gouvernement McGuinty a reconnu l'entité de planification des services en français dans Champlain, avec la participation conjointe du réseau de l'Est et du RLISS Champlain.
10. Maurice Lévesque (2010) révèle la même tendance dans l'exercice de cartographie conceptuelle sur les représentations de la participation citoyenne dans le contexte de la santé en français qu'il a lui-même conduit à Ottawa, en juin 2009, avec des participants de l'ensemble du pays.
11. Fontan, Klein et Tremblay (2005) ont défini le capital socio-territorial comme un ensemble de ressources présentes sur le territoire et la dynamique nécessaire pour en tirer profit à des fins de développement.

BIBLIOGRAPHIE

BERNARD, Roger (2000). *À la défense de Montfort*, Ottawa, Le Nordir.

BOUCHARD, Louise (2011). « Le mouvement de santé en français en contexte linguistique minoritaire : les représentations des acteurs sur l'avenir des services », *Revue canadienne de sociologie = The Canadian Review of Sociology*, vol. 48, n° 2 (mai), p. 203-215.

BOUCHARD, Louise, et Anne GILBERT (2005). « Capital social et minorités francophones au Canada », *Francophonies d'Amérique*, n° 20 (automne), p. 147-159.

BOUCHARD, Louise, et Anne LEIS (2008). « La santé en français », dans Joseph Yvon Thériault, Anne Gilbert et Linda Cardinal (dir.), *L'espace francophone en milieu minoritaire au Canada : nouveaux enjeux, nouvelles mobilisations*, Montréal, Fides, p. 351-381.

BRETON, Raymond (1964). « Institutionnal Completeness of Ethnic Communities and Personal Relations of Immigrants », *American Journal of Sociology*, vol. 70, n° 2 (septembre), p. 193-205.

CARDINAL, Linda, (2001). *Chroniques d'une vie politique mouvementée : l'Ontario français de 1986 à 1996*, avec la collaboration de Caroline Andrew et Michèle Kérisit, Ottawa, Le Nordir.

COMITÉ CONSULTATIF DES COMMUNAUTÉS FRANCOPHONES EN SITUATION MINORITAIRE (2001). *Rapport au ministre fédéral de la Santé : pour un nouveau leadership en matière d'amélioration des services de santé en français*, Ottawa, Santé Canada.

COMITÉ CONSULTATIF DES COMMUNAUTÉS FRANCOPHONES EN SITUATION MINORITAIRE (2007). *Rapport au ministre fédéral de la Santé*, Ottawa, Santé Canada.

COMITÉ PERMANENT DES LANGUES OFFICIELLES (2003). *L'accès aux soins de santé pour les communautés minoritaires de langue officielle : fondements juridiques, initiatives actuelles et perspectives d'avenir*, Ottawa, Chambre des communes du Canada.

COMMISSARIAT AUX SERVICES EN FRANÇAIS (2009). *Rapport spécial sur la planification des services de santé en français en Ontario*, Toronto, Gouvernement de l'Ontario.

DAGENAIS, Christian, *et al.* (2008). « La méthode de cartographie conceptuelle pour identifier les priorités de recherche sur le transfert des connaissances en santé des populations : quelques enjeux méthodologiques », *Revue canadienne d'évaluation de programme*, vol. 23, n° 1, p. 61-80.

DION, Stéphane (2003). *Le prochain acte : un nouvel élan pour la dualité linguistique canadienne*, Le Plan d'action pour les langues officielles présidé par le Président du Conseil du Trésor et le ministre des Affaires intergouvernementales, Ottawa, Gouvernement du Canada.

FÉDÉRATION DES COMMUNAUTÉS FRANCOPHONES ET ACADIENNE DU CANADA (2001). *Pour un meilleur accès à des services de santé en français*, étude coordonnée par la Fédération des communautés francophones et acadienne du Canada et pour le compte du Comité consultatif des communautés francophones en situation minoritaire, Ottawa, Gouvernement du Canada.

FONTAN, Jean-Marc, Juan-Luis KLEIN et Diane-Gabrielle TREMBLAY (2005). *Innovation socio-territoriale et reconversion économique : le cas de Montréal*, Paris, L'Harmattan.

GAUTHIER, Hubert (2007). « Gouvernance en santé et francophonie plurielle : complexité en enjeux », dans Sylvain Vézina (dir.), *Gouvernance, santé et minorités francophones : stratégies et nouvelles pratiques de gestion au Canada*, Lévis, Éditions de la Francophonie, p. 149-163.

GILBERT, Anne (dir.) (2010). *Territoires francophones*, Québec, Septentrion.

GILBERT, Anne, et Marie LEFEBVRE (2008). « Un espace sous tension : nouvel enjeu de la vitalité communautaire de la francophonie canadienne », dans Joseph Yvon Thériault, Anne Gilbert et Linda Cardinal (dir.), *L'espace francophone en milieu minoritaire au Canada : nouveaux enjeux, nouvelles mobilisations*, Montréal, Fides, p. 27-72.

GILBERT, Anne, *et al.* (2005a). « L'environnement et la vitalité communautaire des minorités francophones : vers un modèle conceptuel », *Francophonies d'Amérique*, n° 20 (automne), p. 105-129.

GILBERT, Anne, *et al.* (2005b). « Les discours sur la santé des organisations franco-ontariennes : du rapport Dubois à la cause Montfort », *Reflets : revue ontaroise d'intervention sociale et communautaire*, vol. 11, p. 20-48.

HAYDAY, Matthew (1994). « Pas de problème : The Development of French-Language Health Services In the Province of Ontario, 1968-1986 », *Ontario History*, vol. 2, n° 94, p. 183-200.

LÉVESQUE, Maurice (2010). *Participation citoyenne, francophonie minoritaire et gouvernance des services de santé : les conceptions des acteurs*. Inédit.

PAQUET, Gilles (2000). *Montfort et les nouveaux éléates*. Working Paper 01-37.

SAVAS, Daniel (1990). « Institutions francophones et vitalité communautaire : motivations symboliques et fonctionnelles du choix de réseau institutionnel », dans Jean-Guy Quenneville (dir.), *À la mesure du pays...*, Saskatoon, St. Thomas More College, University of Saskatchewan, p. 67-83.

SAVOIE, Gérald (2005). *Services de santé pour la communauté franco-ontarienne : feuille de route pour une meilleure accessibilité et une plus grande responsabilisation*, Ottawa, Groupe de travail sur les services de santé en français.

THÉRIAULT, Joseph Yvon (1995). *L'identité à l'épreuve de la modernité*, Moncton, Éditions d'Acadie.

THÉRIAULT, Joseph Yvon (2005). « L'institution en Ontario français », *Mens : revue d'histoire intellectuelle de l'Amérique française*, vol. VI, n° 1 (automne), p. 11-27.

THÉRIAULT, Joseph Yvon (2007). *Faire société : société civile et espaces francophones*, Sudbury, Éditions Prise de parole.

TRAISNEL, Christophe, et Éric FORGUES (2009). « La santé et les minorités linguistiques : l'approche canadienne au regard de cas internationaux », *Francophonies d'Amérique*, n° 28 (automne), p. 17-46.

TROCHIM, William (1989). « An Introduction to Concept Mapping for Planning and Evaluation », *Evaluation and Program Planning*, n° 12, p. 1-16.

VÉZINA, Sylvain (2007). *Gouvernance, santé et minorités francophones : stratégies et nouvelles pratiques de gestion au Canada*, Lévis, Éditions de la Francophonie.

Nancy Huston, empreintes et failles d'une mémoire sans frontières

Élise Lepage
Université de Waterloo

L'empreinte de l'ange (1998) et *Lignes de faille* (2006), de Nancy Huston, refusent longtemps de dévoiler le cœur de leur intrigue, tapi dans l'un des sombres replis de l'Histoire du XXe siècle. Ces deux livres de la romancière et essayiste d'origine canadienne, qui vit à Paris depuis de nombreuses années et dont toute l'œuvre est écrite en français, ont pour double point commun d'aborder frontalement plusieurs des grands conflits du siècle passé – les guerres mondiales, la guerre froide, la guerre d'Algérie, celle du Liban, le conflit israélo-palestinien et la guerre en Irak –, à travers les récits de narrateurs et les péripéties de personnages d'origines les plus diverses – allemande, française, hongroise et algérienne, entre autres, dans *L'empreinte de l'ange*, et juive de diverses nationalités dans *Lignes de faille*.

À bien des égards, ces « romans mémoriels », selon le titre de l'ouvrage de Régine Robin, reposent sur la pluralité des mémoires, leurs mises en récit croisées, leurs rencontres, mais aussi leurs lacunes. Comme l'écrit Paul Ricœur dans *La mémoire, l'histoire, l'oubli* : « [c]'est à contre-courant du fleuve *Lethe* que l'anamnèse fait son œuvre » (2000: 33) :

> À la mémoire est attachée une ambition, une prétention, celle d'être fidèle au passé ; à cet égard, les déficiences relevant de l'oubli [...] ne doivent pas être traitées d'emblée comme des formes pathologiques, comme des dysfonctions, mais comme l'envers d'ombre de la région éclairée de la mémoire [...]. Si l'on peut faire reproche à la mémoire de s'avérer peu fiable, c'est

> précisément parce qu'elle est notre seule et unique ressource pour signifier le caractère passé de ce dont nous cherchons à nous souvenir. Nul ne songerait à adresser pareil reproche à l'imagination, dans la mesure où celle-ci a pour paradigme l'irréel, le fictif, le possible [...] (p. 26).

Dès lors, il est intéressant que ce soit par la fiction que Nancy Huston explore les traces et les failles laissées par l'Histoire sur différentes consciences. Les titres mêmes des romans indiquent déjà deux traitements divergents : *L'empreinte de l'ange* met en scène des personnages marqués par un excès de traces de l'Histoire et hantés par le désir de retrouver l'innocence de l'enfance ; alors que dans *Lignes de faille*, l'enjeu consiste, au contraire, à combler les silences et les oublis de l'Histoire. Dans un cas comme dans l'autre, la « fidélité » au passé dont parle Ricœur est toute relative. Certes, la romancière s'appuie sur des recherches historiques qu'elle mentionne à la fin des œuvres, mais ses personnages relèvent de la fiction et créent eux-mêmes leurs propres fragments de fiction pour échapper au trop-plein de la mémoire ou pour combler ses lacunes. À cet égard, l'oubli n'est pas présenté comme un échec de l'anamnèse ; phénomène complexe, la mémoire est envisagée comme un processus mêlant, à différents degrés, passé, savoir, création et oubli.

Mais cette problématique se complexifie encore si l'on prend en compte la dimension cosmopolite de ces romans. Il semblerait qu'en choisissant de traiter de tragédies qui ont frappé des peuples très différents, Nancy Huston suggère que chacune de ces tragédies n'appartient pas en propre à une mémoire nationale particulière, mais que toutes relèvent d'une mémoire internationale dont chacun est l'héritier et qu'assume désormais une littérature transnationale affranchie des frontières et des critères d'appartenance nationale. Signataire, en 2007, du manifeste de Jean Rouaud et Michel Le Bris « Pour une "littérature-monde" en français » (*Le Monde*), la romancière – qui échappe à bien des égards à toute tentative de classification nationale de la littérature – propose des représentations et des mises en récit complexes de l'Histoire en s'attachant à des personnages déplacés et dont les appartenances sont plurielles et problématiques.

La première partie de notre réflexion s'attachera à étudier, dans *L'empreinte de l'ange,* les oscillations du texte entre oubli et mémoire, innocence et culpabilité, ainsi que le conflit des mémoires à la fois individuelles et collectives dans lequel s'enferment les personnages sans pouvoir (s')en sortir. L'étude de *Lignes de faille* permettra, pour sa part, d'explorer un schéma narratif différent, propice à la mise au jour d'un autre type de silence de l'Histoire : le secret qui, dans ce roman également, lie les sphères individuelle, familiale et collective. Nous nous attarderons enfin à la figure de l'enfant qui, sans doute mieux encore que l'adulte, permet de montrer de façon exemplaire la part d'irrationalité, d'autoculpabilisation et de surinterprétation des faits qui entre irrémédiablement en jeu dans la construction d'un récit historique.

***L'empreinte de l'ange*, silence et concurrence des mémoires individuelles**

L'empreinte de l'ange raconte l'arrivée à Paris, en 1957, de Saffie, jeune fille émigrée d'Allemagne, qui épouse Raphaël, bourgeois français promis à une carrière internationale de flûtiste. Saffie semble irrémédiablement absente, jusqu'au jour où elle rencontre András, luthier d'origine juive-hongroise, qui devient son amant. Durant les quatre années de leur liaison, chacun va progressivement dévoiler à l'autre son passé et ses affres : le père nazi de Saffie, l'extermination des Juifs-Hongrois par les Croix fléchées, le tout sur fond de guerre d'Algérie, qui forme le présent de la narration, pris en charge par le narrateur omniscient. András, farouche communiste, fait prendre conscience à Saffie des conditions de vie extrêmement difficiles des Algériens à Paris pendant la guerre de libération. C'est en 1962 que Raphaël découvre inopinément leur liaison et châtie non pas les amants, mais leur complice, son propre fils, le petit Emil.

Saffie est sans conteste le personnage principal de *L'empreinte de l'ange*. C'est bien le fil de son existence que nous suivons à Paris, de ses débuts comme femme de ménage immigrée, puis son dédoublement comme épouse et mère de la bourgeoisie française et amante immigrée en contact avec les minorités et les parias :

> Saffie n'est nullement hypocrite. Elle n'a pas besoin de se forcer pour être gentille avec Raphaël. Elle lui doit tant ! Elle lui doit tout. Ce n'est pas András qui aurait pu lui donner un nom français, la nationalité française. L'idée d'aller vivre avec son amant dans le Marais ne l'a jamais effleurée. Elle ne songe même pas à découcher lors des séjours prolongés de son mari à l'étranger : il n'y a pas de chambre pour Emil là-bas, pas même de salle de

> bains ! [...] Saffie n'est nullement déchirée. Elle aime son existence comme elle est : scindée en deux. Rive droite, rive gauche. Le Hongrois, le Français. La passion, le confort[1].

De divisé, ce fil d'existence en vient à s'effilocher à la fin du récit, le narrateur avouant avoir perdu la trace de son personnage :

> Quant à Saffie, elle a disparu ; personne à Paris ne l'a plus jamais revue. [...] Elle s'est volatilisée, tout simplement. [...] Même moi je ne sais pas ce qu'est devenue mon héroïne. Nous savons si peu de choses [*sic*] les uns des autres... C'est tellement facile de se perdre de vue.
>
> Certes, il nous est loisible de spéculer : elle a un passeport français ; peut-être a-t-elle décidé de commencer une nouvelle vie en Espagne, ou au Canada. Mais, si c'est le cas, ça s'est passé en dehors de l'histoire. La vérité de l'histoire, c'est qu'elle a disparu.
>
> Comme tous, nous allons disparaître à la fin (*EA* : 321).

Cette fin, ou plutôt cette absence de fin dans l'histoire de l'héroïne, indique à quel point la romancière en a fait un centre fuyant de son roman. Au fil de son récit, le narrateur ne cesse en effet de décentrer toujours plus le personnage de Saffie. Dès les premières lignes, il relève son effacement :

> Elle est là, Saffie. On la voit.
> Face blanche. Ou pour mieux dire : blafarde.
> Elle se tient dans le couloir sombre du deuxième étage d'une belle maison ancienne rue de Seine, elle est debout devant une porte, sur le point de frapper, elle frappe, une certaine absence accompagne tous ses gestes (*EA* : 13).

Lors de la première scène d'amour avec Raphaël, elle se montre extrêmement passive et docile : « Elle ne se fige pas comme quelqu'un qui a peur, mais comme quelqu'un qui sait à quoi s'attendre » (*EA* : 46). Plusieurs de ces indications incitent le lecteur à penser que ce personnage est hanté par un terrible passé. De fait, si Saffie est indifférente à son corps et à son quotidien, elle réagit de façon violente, presque disproportionnée, à tout ce qui touche ou approche ses souvenirs, sa mémoire : « tu violes les règles, tu viens trop près » (*EA* : 92). Pourtant, le récit montre que sa souffrance passée n'est pas la plus grande. À travers l'entrecroisement des fragments de récits de vie d'András et de Saffie, affleure bientôt une sorte de concurrence des mémoires entre les amants, chacun cherchant à évaluer le degré de souffrance vécue par l'autre. Cette terrible « concurrence des victimes », pour reprendre l'expression du titre de Jean-Michel Chaumont, est annoncée par l'une des deux épigraphes du roman :

> Comment comparer les souffrances?
> La souffrance de chacun est la plus grande.
> Mais qu'est-ce qui nous permet de continuer ? (Göran Tunström)
> (*EA* : 9)

Et tel est bien ce qui finit par se jouer entre András et Saffie lors de leurs échanges :

> Ils sont gelés. Pétrifiés par le froid et par les images qui hantent à nouveau leur cerveau. Ils ne se parlent plus, Saffie et András. [...] Ils se sont presque perdus en ce moment, chacun noyé dans le sang de ses souvenirs, drainé de tout espoir et de tout désir, échoué dans l'immuable solitude du malheur (*EA* : 211).

Si l'on suit les analyses de Chaumont concernant le processus d'(auto)-victimation, chacun des personnages est en attente de « reconnaissance » (*CHCV* : 172) de son statut de victime et leurs récits fragmentaires deviennent d'insoutenables « surenchères macabres » (*CHCV* : 179). Cette « concurrence des victimes pour la palme des plus grandes souffrances » (*CHCV* : 179) se complexifie encore lorsque András éclaire Saffie sans grand ménagement à propos du sort des Algériens vivant à Paris. Ardent militant, il essaie de la sensibiliser à la souffrance présente des gens de leur ville. Mais lorsqu'il l'emmène voir les taudis de Nanterre où s'entassent les immigrés algériens, Saffie se met à lui parler du mur de Berlin : « András garde le silence. Combien de fois a-t-il gardé le silence, maintenant, avec Saffie ? [...] Et là, devant le spectacle navrant de la misère des Algériens, elle ne trouve encore qu'à lui parler de sa souffrance... » (*EA* : 265-266). À leur corps défendant, les personnages créent une situation de « dialogue [...] de sourds » qui, de façon tacite entre eux, « aliment[e] le cercle vicieux des récriminations réciproques » (*CHCV* : 179). Ainsi, alors que la mémoire blessée d'András le porte à se décentrer, à se tourner vers l'action et la compassion, celle de Saffie semble irrémédiablement l'enfermer dans une sorte d'égocentrisme contemplatif, qui décourage son amant et menace leur amour.

> András a fermé les yeux. Ses mains serrent le garde-fou du pont comme si elles voulaient le briser. Toujours, aussi longtemps qu'il sera en vie, il y aura une histoire qu'il ne connaissait pas. À chaque fois il pense avoir fait le tour et puis non, il y aura toujours quelqu'un pour venir lui raconter encore un autre drame, une autre horreur, c'est littéralement inépuisable. Quelle aubaine pour les romanciers, cet Hitler (*EA* : 268) !

Si l'idéologie communiste d'András l'incite à envisager une « cause commune » (*CHCV* : 179) à tous les personnages et groupes immigrés et minorisés, aux destins extrêmement précaires, le roman montre aussi à quel point chacun essaie de se poser en victime dans une lutte farouche contre l'Autre. Il s'agit d'une lutte pour le symbolique. Les récits et les atrocités tant du passé que du présent diffèrent, se donnent dans toute leur singularité, mais ultimement. on invoque toujours le plus petit dénominateur commun : le titre de victime.

Telle est sans doute la raison pour laquelle András se pose la question du savoir et de la vérité :

> Faut-il le lui dire ? Après tout, se dit András, je pourrais m'inventer une autre biographie. Les compatriotes de Saffie n'auraient pas gazé les miens. [...] Je ne serais même pas d'origine hongroise, je ne m'appellerais pas András... Pourquoi lui dire ces choses-là plutôt que d'autres ? Sous quel prétexte sont-elles vraies ? En quoi, au fond, cette vérité la concerne-t-elle ? De *quelles* vérités se doit-on d'être au courant, et lesquelles peut-on se permettre d'ignorer (*EA* : 180) ?

Autrement dit, à quel point mettre en mots la vérité nuit-il au processus de cicatrisation psychique de l'individu ? Il faut souligner qu'à travers ses personnages, *L'empreinte de l'ange* remet en question l'innocence, le langage et la vérité.

L'innocence, étymologiquement, désigne la non-nuisance. Chacun des personnages cherche à s'accommoder au mieux de ses obligations et de ses désirs, sans trop heurter les autres. Ainsi, la mère de Raphaël, préférera-t-elle ne jamais rencontrer sa belle-fille, vouant une haine indéfectible aux Allemands. Mais, dans un second sens, l'innocence est aussi l'état de celui qui ignore des réalités. Elle réfère alors à une certaine naïveté, une inexpérience de vie ou une cécité plus ou moins volontaire, comme dans le cas de Saffie, qui ne sait rien de l'actualité et du monde qui l'entoure. Innocent est également celui qui n'est pas souillé par le mal. Il s'agit alors d'Emil, complice innocent de l'adultère maternel. Il est l'ange de Raphaël et de Saffie, mais c'est András qui, le regardant encore nourrisson, explique à Saffie, le doigt posé juste au-dessus de ses lèvres :

> – C'est ici, dit-il, que l'ange pose un doigt sur les lèvres du bébé, juste avant la naissance – Chut ! – et l'enfant oublie tout. Tout ce qu'il a appris là-bas, avant, en paradis. Comme ça, il vient au monde innocent… […] Sinon, poursuit András en riant, qui veut naître ? Qui accepte d'entrer dans cette merde ? Ha ! Personne ! On a besoin de l'ange !
>
> – Et ça s'arrête quand, l'innocence ? demande Saffie (*EA* : 191).

À cette question laissée en suspens, il semble que le roman réponde que l'innocence s'arrête avec le langage. András et Saffie se blessent mutuellement en se racontant l'un à l'autre, et Emil ment dès qu'il apprend à parler : « Depuis quelques semaines Emil appelle András Apu, mot qui signifie papa en hongrois. Et Raphaël, c'est papa. En même temps qu'il apprend à parler, autrement dit, on lui apprend à mentir » (*EA* : 213). On approche alors du dernier sens du mot « innocence », antonyme de « culpabilité. » Innocent est celui qui n'a pas commis d'acte répréhensible. On voit comment s'établit le lien entre culpabilité et mensonge : en ne révélant pas à son père l'adultère de sa mère, mensonge par omission, Emil est-il toujours innocent ? Raphaël tranchera à la fin du roman en provoquant la mort de son fils.

> « Un accident. » Tout au long de son procès, qui occupera une bonne partie de l'année 1964, le célèbre flûtiste Raphaël Lepage n'en démordra pas. « Il a glissé – le vent me l'a arraché des mains – j'ai tout fait pour le sauver… »
>
> Faute de témoins, il sera acquitté. Mais nous étions là, et nous la connaissons la vérité (*EA* : 320).

L'enfant est sacrifié, tandis que le père est jugé innocent à tort. C'est donc ironiquement que l'époux de Saffie porte le nom de l'archange guérisseur. Au début du roman, Raphaël espère sincèrement apaiser Saffie face à son passé traumatisant : « Il est persuadé que la mystérieuse blessure guérira grâce à lui et à son amour, et que Saffie recouvrera la joie de vivre qui lui revient en partage » (*EA* : 72). De la même façon, il croit fermement que son art peut apaiser la souffrance collective : « [...] la musique c'est ma lutte à moi. Jouer de la flûte, c'est ma façon à moi de rendre le monde meilleur » (*EA* : 285). Mais c'est András qui, au cours du récit, amorce le processus de guérison de Saffie, et Raphaël, au contraire, qui tue l'ange/l'enfant.

Tous les personnages sont convaincus de leur innocence – condition nécessaire et minimale pour revendiquer le statut de victime. Pourtant, aucun n'est irréprochable : Saffie joue un double jeu ; Raphaël est perpétuellement absent et aveugle – ou, du moins, impuissant – aux problèmes de son épouse ; András prend part aux violences de la guerre d'Algérie ; Emil cache ce qu'il sait à son père, etc. « Ni victimes, ni bourreaux », selon l'expression de Camus, ils sont de simples acteurs ou objets de l'Histoire que le narrateur s'ingénie à faire défiler par des accélérations subites, puis en s'arrêtant sur tel ou tel moment pour en livrer des anecdotes très précises, comme si le lecteur feuilletait les pages d'un manuel d'histoire et s'arrêtait de temps à autre pour lire un paragraphe ou un encadré spécifique : « Donnons un coup d'accélérateur – c'est enivrant ce pouvoir, c'est comme en rêve, on se prélasse avec volupté dans un instant particulier et puis – délice – ça se met à bouger, les journées défilent, surgissent et s'évanouissent, se fondent les unes dans les autres... » (*EA* : 79). Les ouvertures de chapitre en ce genre permettent au narrateur de prendre en charge le contexte historique du récit : « En décembre 1960 de Gaulle part faire une tournée en Algérie qu'il prévoit triomphale [...] » (*EA* : 251). En même temps, elles rappellent le lot commun de chacun des personnages, qui ne prend part à l'Histoire qu'à travers la masse, ces « gens ordinaires » qui ne sont ni les victimes, ni les bourreaux, mais qui subissent tout de même en partie les méfaits des conflits, tout en les cautionnant par leur passivité.

L'épilogue projette le lecteur trente-cinq ans plus tard, à la fin du XXe siècle. Les regards de Raphaël et d'András, tous deux à l'âge du déclin, se croisent par hasard dans un miroir. Significativement, les deux personnages n'échangent pas un mot :

> Tous les vieillards retrouvent un air d'innocence, vous avez dû le remarquer. Le temps miséricordieux vient passer l'éponge sur leur corps et leur esprit, estompant les signes distinctifs, effaçant leurs souvenirs, faisant s'évaporer l'une après l'autre les dures leçons que la vie leur a infligées. On oublie, vous savez, on oublie... [...] Il s'agit de recouvrer l'innocence avant de partir rejoindre l'ange.

> Tous, nous sommes encore innocents. [...]
>
> Que se passe-t-il entre eux, dans ce regard silencieux et sans fin ? Chacun a privé l'autre de la femme et de l'enfant qu'il aimait. Et là, chacun tâte son cœur : cela fait-il toujours mal ? Les flammes de la haine peuvent-elles encore être ranimées, ou bien les dernières braises se sont-elles enfin éteintes (*EA* : 327) ?

Par-delà les années, les douleurs de la mémoire semblent enfin vouloir s'estomper. Mais cette guérison se paie au prix fort du silence et du deuil. Ce muet face-à-face place une dernière fois deux personnages en concurrence : qui, de Raphaël ou d'András, souffre le plus ? Qui est la victime de l'autre ?

L'empreinte de l'ange met en récit le choc de mémoires traumatisées, qui ne peuvent s'empêcher de s'évaluer, de se mesurer les unes aux autres, de soupeser la part d'innocence, de vérité et de non-dit que chacune dévoile ou recèle. Ce roman montre de quelles façons les empreintes, les résurgences du passé ne cessent d'empoisonner le présent, tant au niveau individuel (tel est le cas pour les personnages du roman) qu'au niveau collectif (l'attitude de la France face aux guerres qui se succèdent après 1945). Dans le même temps, se trouve exposé le rapport entre les statuts de victime et de bourreau, les deux étant réversibles selon le point de vue et le moment. *L'empreinte de l'ange* se lit comme un jeu tragique entre amnésie et anamnèse, oubli et mémoire, lucidité et aveuglement, sans qu'il soit toujours possible de déterminer à quel point ces postures engagent ou non la volonté des personnages.

Lignes de faille ou la mémoire à rebours

Publié en 2006, *Lignes de faille* tire toute une partie de son intrigue de son dispositif narratif. Le roman est divisé en quatre parties de longueur égale (110 à 120 pages), chacune narrée par un enfant de six ans appartenant à une génération différente. Le roman permet ainsi au lecteur d'explorer quatre strates temporelles différentes, chacune étant secouée par ses crises et ses conflits. Mais il faut également mentionner sa géographie éparpillée, car les jeunes narrateurs se situent en différents points du globe et suivent leurs parents – ou ceux qu'ils croient tels – dans leurs déplacements.

- Le premier narrateur est Sol, diminutif de Solomon, dont le récit est daté de 2004 ; 2004, ère de l'après 11 septembre 2001 et de la diffusion par Internet des violences perpétrées par l'armée américaine en Irak. Sol vit dans une confortable demeure californienne, mais devra se rendre à Munich avec ses parents, sa grand-mère et son arrière-grand-mère pour tenter d'éclaircir le passé de cette dernière.
- Sol est le fils de Randall, narrateur de la seconde partie, dont le récit se déroule en 1982. Randall doit quitter son appartement new-yorkais pour suivre ses parents à Haïfa, en Israël, où sa mère Sadie, conférencière de renom, veut mener ses recherches. Les tensions au Proche-Orient culminent alors pendant la guerre israélo-libanaise et auront raison de son amitié avec Nouzha, une petite musulmane qui lui livre sa lecture des événements et de l'Histoire.
- Sadie est la narratrice de la troisième partie datée de 1962, au cœur de la guerre froide, marquée par la crise de Cuba et l'achèvement du mur de Berlin. La petite Sadie mène une existence austère chez ses grands-parents maternels, à Toronto, dans l'attente perpétuelle de sa mère Kristina, chanteuse à ses débuts, qui l'emmène finalement avec elle à New York. Kristina amorce alors une carrière internationale, tandis que Sadie se familiarise avec la religion et la culture juives.
- Le roman s'achève avec le récit de Kristina, qui grandit dans l'Allemagne ravagée de 1944 et 1945. Dans cet empire au bord de l'effondrement complet, transitent, sur les routes, des flots de réfugiés. Il revient aux nouvelles autorités politiques d'essayer de restituer un passé et une identité aux innombrables individus déplacés ou, comme Kristina – dont le prénom change à bien des reprises au cours du récit[2] –, volés par le IIIe Reich et donnés en adoption à des familles allemandes.

Cette chronologie à rebours va à l'encontre du schéma généalogique qui précède l'*incipit* et invite à une lecture a-chronique. Le roman « remonte » en effet le temps, tout comme la citation de Rilke, placée en exergue, s'interroge : « Qu'était-ce » que « la profonde, la rayonnante montée des larmes ? Qu'était-ce ? » (*LF* : 7) Cette question initiale illustre le projet du roman, projet que l'on peut considérer comme celui de Sadie, la grand-mère, conférencière spécialisée dans l'étude du Mal et de l'Holocauste : « On ne peut pas construire un avenir ensemble si on ne connaît pas la vérité sur notre passé, explique-t-elle à son jeune fils. [...] j'ai beaucoup de questions concernant ce fragment particulier de notre passé... Et mamie Erra ne *veut* pas ou ne *peut* pas y répondre » (*LF* : 157). Le « fragment » n'est pas sans rappeler le titre du roman, *Lignes de faille*, qui évoque la rupture, la discontinuité, tout comme le système narratif fondé précisément sur les failles de la mémoire, des récits tant collectifs qu'individuels. Erra/Kristina avoue ainsi à propos de son enfance allemande : « J'ai sans doute vécu trop d'autres vies entre-temps. Mes souvenirs de celle-ci sont... euh... lacunaires pour le moins » (*LF* : 126). Le fragment, la lacune, la faille : telles sont bien les formes par lesquelles se donne à lire ce roman, à la fois familial et mémoriel.

C'est un personnage d'intellectuel qui se charge de cette quête délicate à entreprendre. Comme l'écrit Régine Robin dans *Le roman mémoriel* : « La reconquête identitaire est mémoire, mémoire reconstruite, mémoire intellectuelle en même temps qu'affective. Si elle participe de la mémoire savante par son travail d'érudition et de reconstruction, elle a partie liée avec les enjeux de la mémoire collective » (1989 : 109). Il est évident que cette reconstruction de la mémoire de l'aïeule et de la mémoire collective revient à Sadie, passionnée par ce travail d'érudition et l'imbrication des dimensions individuelle et affective, d'une part, collective et historique, d'autre part. Dès son plus jeune âge, elle s'interroge sur ce qu'est la vérité et souffre d'une faim que l'on s'interprète comme une métaphore transparente de son besoin de savoir. Sa mère, Kristina, est orpheline, mais a su trouver un exutoire dans le chant ; Sadie, l'enfant illégitime qui ne connaît pas son père, souvent délaissée par une mère instable qu'elle adore, se réfugie dans la lecture, « [s]on seul et unique talent » (*LF* : 323). Sans surprise, les textes qu'elle préfère sont des récits de quête ou de recherche de l'origine. Obsédée par la conviction de provenir d'une famille nazie et d'être ontologiquement mauvaise et coupable, elle se convertit au judaïsme, défend les positions sionistes et n'a de cesse de faire la lumière sur ses origines maternelles. Elle comprend ainsi que sa mère Kristina est passée par un *Lebensborn*, ces « fontaines de vie » mises en place par les nazis afin de germaniser des enfants d'Europe de l'Est et freiner la saignée démographique causée par la guerre. « Deux cent cinquante mille enfants ! Enlevés ! Volés ! Arrachés à leur famille en Europe de l'Est... » (*LF* : 155), s'exclame Sadie. Des souvenirs confus de cette période reviennent sous forme de bribes dans le récit de Kristina, alors que, à la suite d'une querelle d'enfants, sa sœur adoptive lui apprend qu'elle a été adoptée.

Or, quel est le sens de la quête identitaire et familiale de Sadie, si ce n'est de (se) prouver qu'elle n'est pas d'ascendance nazie ? Sa conversion à la religion juive indique de même une volonté d'appartenir au clan des victimes plutôt qu'à celui des oppresseurs, tout comme dans *L'empreinte de l'ange*, le personnage de Saffie se présentait comme une victime de la Seconde Guerre mondiale alors même que son père mettait sa science au service des nazis. Ironiquement, les choix de Sadie la placent en porte-à-faux lorsqu'elle emmène vivre sa famille en Israël à un moment d'extrême tension entre l'État juif et les pays musulmans environnants. Sadie, devenue juive, défend les positions israélites les plus indéfendables contre son mari, juif de naissance, qui s'insurge, au contraire, des méfaits d'Israël. Le jeune Randall, égaré dans les tenants et les aboutissants de la situation, ne manque pas par ses questions d'envenimer le climat familial :

> – C'est vrai que les juifs ont envahi Israël ? Je demande ce soir-là pendant le dîner, d'une voix presque inaudible, et le rire de m'man ressemble à un aboiement.
>
> – Qui t'as mis cette idée dans la tête ? [...] Eh bien, la réponse est non. Les juifs n'ont pas *envahi* Israël, ils se sont *réfugiés* en Israël.
>
> – En Palestine, dit p'pa.
>
> – Palestine, ça s'appelait à l'époque, dit m'man. Ils en avaient assez d'être harcelés et assassinés partout en Europe depuis des siècles, alors ils ont décidé qu'il leur fallait un pays à eux.
>
> – Malheureusement, dit p'pa, le pays en question était déjà peuplé (*LF* : 221).

Cet extrait de dialogue laisse entrevoir deux lectures divergentes d'un fait historique et permet de deviner la confusion de l'enfant entre ces deux récits qu'esquissent son père et sa mère. Les épisodes où Randall assiste à la guerre quotidienne que se livrent ses parents et qui redouble, sur le plan familial, les conflits du Proche-Orient, montrent avec finesse la posture paradoxale de la victime dans laquelle s'enferme – sans doute inconsciemment – le personnage de Sadie. Hantée par l'idée qu'elle puisse être issue d'une famille nazie, elle adopte avec une ferveur presque démesurée la religion juive, religion des victimes par excellence du IIIe Reich. Mais dans le contexte historique et géographique dans lequel elle se situe, ce choix revient à adopter le parti de l'oppresseur. Il faudra que la violence culmine dans les massacres de Sabra et Chatila contre les musulmans libanais pour que Sadie recouvre une position idéologique plus modérée.

Dès cette seconde partie du roman, plusieurs bribes des recherches que mène Sadie permettent déjà de comprendre les grands traits du secret entourant l'origine et l'identité de sa mère. Mais c'est à la fin du roman, à travers le récit de Kristina, que le lecteur est en mesure de rassembler toutes les pièces de l'intrigue : Kristina, de son vrai nom Klarysa, est une petite Ukrainienne de type aryen, qui s'est fait enlever par le IIIe Reich et adopter par une famille de « braves nazis » fort communs. Janek, jeune Polonais donné à son tour en adoption à la famille, lui révèle la vérité. À la fin de la guerre, Klarysa et Janek sont placés temporairement dans un orphelinat. Klarysa sera adoptée par un couple polonais immigré à Toronto. Janek la retrouvera des années plus tard à New York, avant de se suicider. C'est cette généalogie tourmentée par différents déplacements, adoptions, changements de noms et conversions religieuses que s'efforce de reconstituer Sadie.

Le processus d'investigation, à la fois historique et mémorielle, s'élabore de façon inédite dans ce roman. Le système narratif permet, en effet, à Nancy Huston d'écrire au présent un roman traitant de l'histoire et de la mémoire et qui s'étale sur plusieurs générations. Chaque enfant narrateur raconte son quotidien de 1945, 1962, 1982 et 2004. Outre ce paradoxe d'écrire un roman de la mémoire familiale au présent, il faut souligner que ce choix narratif implique une certaine opacité des récits, dans la mesure où les enfants narrateurs n'ont, pour ainsi dire, aucun détachement face aux événements historiques qui affectent leur existence. Ils ne bénéficient que d'une compréhension partielle de la réalité. Chacun bricole alors ses propres explications, toutes aussi irrationnelles que douloureuses, qui permettent de comprendre *a posteriori* les traits et les obsessions des adultes qu'ils sont devenus. Voyant sa mère, Sadie, handicapée à vie suite à un accident, le petit Randall explique ainsi le drame, en accusant Nouzha – petite fille arabe dont il était épris mais qui l'a maudit après le massacre de Chatila où ont péri plusieurs membres de sa famille – d'avoir frappé sa mère avec son mauvais œil par désir de vengeance contre les juifs :

> Nouzha. Le mauvais œil de Nouzha, ce jour-là dans l'escalier. Nouzha m'a frappé avec son œil – daraba bil-'ayn – en souhaitant qu'il m'arrive un malheur terrible. *C'est elle qui a causé l'accident de ma mère*, j'en suis sûr. Sa propre famille a été taillée en pièces à Chatila, elle a décidé de se venger sur les juifs, et j'étais son meilleur ami juif (*LF* : 248).

Devenu adulte, Randall travaille à mettre au point des robots-soldats pour la guerre en Irak et cautionne toutes les exactions commises par l'armée américaine. Pour sa part, la petite Sadie endosse la culpabilité et les doutes identitaires qu'elle attribue à sa mère et à elle-même : « [...] *tu accepteras ce qui se passe parce que tu es une fille mauvaise et une menteuse et ta mère est une femme mauvaise et une menteuse et tu as hérité de toutes ses tares* » (*LF* : 363-364, l'italique est de l'auteure), se dit-elle, « tu vis dans le mensonge depuis le jour de ta naissance » (*LF* : 367). D'où la quête à laquelle elle s'astreint pour sortir du mensonge et combler les failles du récit familial. Ces explications d'enfants, pour irrationnelles qu'elles soient, influencent de façon notoire les actes, les positions idéologiques, mais aussi les récits historiques que produisent ces enfants une fois devenus adultes.

Lignes de faille est certainement un roman de la quête : quête des traces, de l'identité individuelle et collective, du savoir. Tendu par le désir de rétablir une certaine linéarité de l'histoire, le récit permet effectivement de colmater quelques brèches et de répondre à certaines questions. Mais la linéarité simple et transparente du récit familial demeure un horizon jamais atteint, le récit soulignant bien plus les revirements, les changements de cap, les ruptures et les conflits inattendus qui l'ont marqué. Sans doute faut-il également comprendre le titre de ce roman, *Lignes de faille,* comme autant d'abîmes qui isolent les narrateurs les uns des autres. Les failles désignent ainsi le *generation gap* qui se joue entre chaque récit, marqué textuellement par le changement de partie et les ellipses temporelles. Mais les lignes de faille sont aussi celles qui séparent les personnages, soulignent leurs nombreuses tensions conflictuelles, notamment dans la lignée des narrateurs. En effet, chacun se construit par opposition au parent narrateur dont le récit va suivre – et qui permet de comprendre *a posteriori* les réactions et les choix qu'il effectue en tant qu'adulte. Dans le même temps, chacun est fortement influencé par ce qui a caractérisé son enfance : l'errance chez Kristina, la soif de savoir de Sadie, les conflits intrinsèques pour Randall et l'obsession de la sécurité qui règne autour de Sol. « Lignes de faille » est donc un titre à interpréter à plusieurs niveaux, insistant sur les manques, les béances à combler, là où *L'empreinte de l'ange* se situait du côté du trop-plein dont il est difficile de se délester.

La mémoire cosmopolite

Pris entre empreintes et failles, traces et lacunes, chacun de ces deux romans articule à sa façon plusieurs problématiques connexes : mémoire et histoire ; langage, secret, oubli et vérité ; innocence, victimisation et culpabilité. Il est intéressant de remarquer que, dans *L'empreinte de l'ange*, l'oubli est présenté comme un refuge, un mécanisme de survie, mais qui confine le personnage de Saffie dans un confort qui est aussi un aveuglement volontaire face à la situation contemporaine. Ce n'est que lorsque Saffie accepte d'assumer son passé et celui de sa famille en en faisant le récit qu'elle peut commencer à affronter les réalités de la guerre d'Algérie. Au contraire, dans *Lignes de faille*, le personnage de Sadie n'a de cesse de se battre contre l'oubli. Toutes ses recherches ont pour objectif de combler les « lignes de faille » historiques, géographiques, religieuses, culturelles et émotionnelles qui parcourent le roman familial comme autant de traces, d'empreintes du temps.

En dépit de cette divergence, les deux romans invitent à considérer la mémoire et l'oubli comme les deux faces d'un même processus, où l'imagination et la (re)création – conscientes ou non – ont la part belle. C'est peut-être justement parce que l'anamnèse et la création entremêlent toutes deux mémoire et imagination que ces deux romans de Nancy Huston peuvent apporter des réponses fortes et sans ambiguïté à certains questionnements lancinants. À qui appartient le passé ? Puis-je m'approprier une mémoire qui n'est pas mienne sans profaner l'Histoire ? On pourrait soutenir sans risque de tautologie que la mémoire est toujours mienne dans la mesure où je suis toujours le sujet exerçant l'anamnèse. Mais la lecture de ces romans invite à aller plus loin : non seulement la mémoire appartient à tous, mais il est du devoir de chacun de l'habiter, de la maintenir vive. Si le concept d'appropriation culturelle peut être polémique, il est cependant légitime du point de vue de la création, en ce sens que la création participe au devoir de mémoire. Enfin, tout comme la mémoire, la création fait intervenir l'imagination.

Toutes ces problématiques liées à la mémoire s'entrecroisent de façon inédite entre de nombreux personnages issus de l'immigration ou de groupes minoritaires. Une scène fugace de *L'empreinte de l'ange* donne ainsi à voir « s'accroupissant à son tour, l'Allemande [qui] donne à boire à l'Algérien dans la cour du Hongrois, au milieu des riffs de jazz syncopés des Afro-Américains » (*LF* : 256-257). À travers ce cosmopolitisme des personnages, Nancy Huston indique que les conflits et les guerres évoqués, mais aussi les histoires et les mémoires individuelles n'appartiennent pas en propre à une mémoire nationale particulière, mais relèvent d'une mémoire internationale, mémoire-monde cosmopolite puisque ses acteurs et ses narrateurs ont des appartenances plurielles.

« De *quelles* vérités se doit-on d'être au courant [...] ? » (*LF* : 180), se demandait le personnage d'András. Réponse possible : de toutes. Et si chaque individu ne peut tout savoir, il est nécessaire en revanche que la collectivité fasse advenir et connaître ces vérités. Il faut alors se demander dans quelle mesure les institutions et les médias, dont le rôle est d'enseigner, d'archiver la mémoire et d'informer, contribuent à maintenir des catégories de pensée tributaires des appartenances nationales et participent au maintien de cloisons qui circonscrivent trop étroitement les tragédies. Face à ce discours, qui se veut objectif et scientifique et qui devient généralement le discours national ou communément admis, s'opposent des récits de la trace laissée par les déchirures de l'Histoire, tels que *L'empreinte de l'ange* et *Lignes de faille*. Ceux-ci se donnent simplement comme fictifs, singuliers, subjectifs ; ils excellent néanmoins là où échouent les discours nationaux : ils montrent la réalité de l'événement au sens fort et donnent à comprendre le rôle des traumatismes dans le processus de construction identitaire et subjective de chacun.

NOTES

1. Nancy Huston ([1998] 2000), *L'empreinte de l'ange*, Arles, Actes Sud, p. 220. Désormais, les références à cet ouvrage seront indiquées par le sigle *EA*, suivi du folio, et placées entre parenthèses dans le texte ; de même, les références au roman *Lignes de faille* seront indiquées par le signe *LF* et celles de l'article de Jean-Michel Chaumont par *CHCV*.
2. Kristina s'est fait connaître comme chanteuse sous le pseudonyme d'Erra. Sol, son arrière-petit-fils, la surnomme AGM. Le lecteur apprendra, dans la dernière partie, qu'étant Ukrainienne, son prénom de naissance était Klarysa, alors qu'entre-temps, Janek, son frère d'adoption, aura supputé que son prénom était peut-être l'équivalent polonais : Krystka ou Krystyna.

BIBLIOGRAPHIE

CHAUMONT, Jean-Michel (2000). « Du culte des héros à la concurrence des victimes », *Criminologie*, vol. 33, n° 1, p. 167-183.

HUSTON, Nancy ([1998] 2000). *L'empreinte de l'ange*, Arles, Actes Sud.

HUSTON, Nancy (2006). *Lignes de faille*, Arles, Actes Sud ; Montréal, Leméac.

RICŒUR, Paul (2000). *La mémoire, l'histoire, l'oubli*, Paris, Seuil.

ROBIN, Régine (1989). *Le roman mémoriel : de l'histoire à l'écriture du hors-lieu*, Longueuil, Le Préambule.

ROUAUD, Jean, et Michel LE BRIS (2007). « Pour une "littérature-monde" en français », *Le Monde des livres*, 16 mars, p. 2.

Du mouvement et de la variation du Tout-monde chez Édouard Glissant

Christian Uwe
Université Lumière Lyon 2

> Le concept se présente clos et ouvert, mystérieusement.
> Les pensées de système abolissent dans le concept ce qui est ouverture.
> La pensée de la trace confirme le concept comme élan, le relate :
> en fait le récitatif, le pose en relation, lui chante relativité[1].

Le concept de Tout-monde est, sinon en passe, du moins en droit de devenir le lieu de convergence des concepts mis en avant par Édouard Glissant. Avec Créolisation et Relation, il constitue l'un des concepts majeurs dans l'œuvre de Glissant, sans doute aussi l'un des plus difficiles à cerner. Il a donné son titre au plus ambitieux roman de l'écrivain ainsi qu'à un traité d'allure déroutante – le *Traité du Tout-monde* – et, depuis, il occupe une place de choix dans les essais ultérieurs. Concept difficile à cerner, en partie parce qu'il n'échappe pas à cette grande constante de l'écriture de Glissant que sont les reprises et les répétitions qui font que le discours est perpétuellement en mouvement. Pourtant, si l'on doit justifier la téméraire affirmation qui inaugure ces pages et selon laquelle la pensée de Glissant converge vers le Tout-monde, il faut commencer par sonder – à défaut de cerner – la diversité des définitions que reçoit ce concept. Il sera alors possible d'y voir l'expression d'une pensée aux multiples dimensions, une pensée qui fait de l'imaginaire le trait d'union entre la poétique et l'éthique. Ainsi, après avoir exploré quelques définitions du Tout-monde chez Glissant et cerné le rôle du phénomène de répétition dans sa pensée, on s'intéressera à ce que l'auteur appelle le style du Tout-monde avant de montrer comment ce dernier contribue à construire une perspective poétique et éthique.

Le Tout-monde : lecture de quelques définitions

La variation de ce concept commence avec l'orthographe même du terme, lequel prend tantôt une majuscule, et tantôt en est dépourvu. Peut-être dira-t-on que le fait n'a pas d'importance, mais il sera plus difficile d'ignorer les différences manifestes entre les nombreuses définitions que l'auteur réserve à ce terme. On en trouve pratiquement dans tout ouvrage publié après *Mahagony*, ouvrage dans lequel le terme apparaît pour la première fois (Chancé, 2002 : 216) : dans le roman *Tout-monde* ([1993] 1995), dans le *Traité du Tout-monde* (1997), dans l'*Introduction à une poétique du divers* ([1995] 1996), dans *La cohée du Lamentin* (2005). Aussi est-ce là le phénomène qu'il s'agira d'interroger en premier lieu. Pour ce faire, on partira de trois définitions du même concept, extraites respectivement du *Traité du Tout-monde*, de *La cohée du Lamentin* et du roman *Tout-monde* :

> J'appelle Tout-monde notre univers tel qu'il change et perdure en changeant et, en même temps, la « vision » que nous en avons. La totalité-monde dans sa diversité physique et dans les représentations qu'elle nous inspire : que nous ne saurions plus chanter, dire ni travailler à souffrance à partir de notre seul lieu, sans plonger à l'imaginaire de cette totalité (*TTM* : 176).

> Tout-Monde : la totalité réalisée des données connues et inconnues de nos univers, le sentiment qu'elles nous occupent infiniment, comme sur un plateau de théâtre que nos postures se partagent et où nous grandissons sans limites. La certitude aussi que la plus infime de ces composantes nous est irremplaçable. Nous mettons en scène celles de ces offrandes du monde qui, proches de nous, pourtant nous emportent au vrac des horizons. Elles créent des différences consenties, et le plateau de ce théâtre touche à la mer sans fin (2005 : 87).

> Mais le monde n'est pas le Tout-monde. […] Parce que le Tout-monde, c'est le monde que vous avez tourné dans votre pensée pendant qu'il vous tourne dans son roulis (*TM* : 208).

Il s'agit là de trois définitions parmi d'autres, susceptibles néanmoins d'éclairer ce que l'on aurait tort de considérer comme un flottement conceptuel. Leur longueur relative exige que l'on prenne le temps de les lire et de les analyser, ce qui permettra de dégager des convergences et des écarts utiles, les unes autant que les autres, à l'intelligence du Tout-monde.

La première définition reconnaît d'emblée le Tout-monde comme étant « notre univers » pris dans la dialectique du changement et de la permanence. La réalité ainsi désignée n'est donc pas une réalité statique, ce n'est pas un état de choses, pas un état du monde, mais – sans mauvais jeu de mots – le monde dans tous ses états. Il s'agit d'un monde divers et d'un monde en mouvement, le mouvement du temps qui préside aussi bien au changement qu'à la permanence et qui constitue la quatrième dimension de cette « diversité physique ». Toutefois, à ce donné physique évoluant dans le temps, la définition ajoute une facette tout humaine : la vision. Cette vision que nous avons de notre univers reçoit pour synonyme les « représentations » que la diversité physique du monde nous inspire. Ainsi, l'articulation des dimensions physico-temporelles à celle des représentations humaines fait du Tout-monde un concept qui dépasse les déterminismes du corps et de l'espace. En effet, tel qu'il est défini, le Tout-monde révèle la radicale insuffisance du « seul lieu ». Car, si le corps est cela qui détermine notre présence dans le lieu et, par voie de conséquence, notre absence dans tous les autres, la « vision » ou les « représentations » de ces autres lieux permet de « plonger à l'imaginaire » des ailleurs, entendus comme autant de lieux habités par d'autres hommes tout aussi pris dans la nécessité de l'imaginaire. L'imaginaire apparaît ainsi comme ouverture à la relation, relation à l'autre dans son lieu, possibilité de transformer les limites en frontières ouvertes à la traversée. À cet égard, la fréquence du « nous » dans le passage cité est révélatrice : elle fait du Tout-monde le lieu d'une appartenance collective.

On retrouve cette idée d'appartenance collective dans la deuxième définition du Tout-monde. Cette dernière envisage le Tout-monde comme « la totalité réalisée des données connues et inconnues de nos univers » (Glissant : 2005 : 176). On remarquera le passage de « notre univers » à « nos univers », c'est-à-dire du singulier au pluriel, un passage qui serait anodin s'il n'allait pas de pair avec un changement d'accent. En effet, la première définition insistait sur l'univers dans son acception physique, la deuxième insistera davantage sur l'aspect « dramatique » de ce monde. L'image du « plateau de théâtre » va, en effet, donner à « nos univers » pluriels tout le poids de la diversité des représentations culturelles du monde. Le Tout-monde devient ainsi le lieu d'artifices authentiques, c'est-à-dire le lieu où l'imaginaire épouse le réel pour donner non seulement naissance, mais aussi croissance à l'homme. Ainsi, « nos postures se partagent » ce plateau, plateau où l'infini s'offre à l'expérience, l'infini compris comme le sans-limite et le non-fini, c'est-à-dire l'en-cours. Comme sur une scène de théâtre, cet infini est à incarner, il s'arrime au corps dans un mouvement particularisant, c'est-à-dire complémentaire de l'imaginaire (cet imaginaire qui, à en croire la première définition, ouvre le particulier – le lieu – sur le divers). L'idée que c'est sur ce plateau que « nous grandissons sans limites » en suggère l'importance et les enjeux : la plus petite des différences y est « irremplaçable », chaque différence y a sa place et son rôle, et chaque différence concourt à la croissance collective. On remarquera que ce grand plateau de théâtre n'est pas fait uniquement pour le jeu des différences, mais aussi pour la connaissance et l'opacité, pour les « données connues et inconnues » du Tout-monde. Le proche et le connu conduisent au lointain et à l'inconnu. Ici encore, le lieu s'ouvre au « vrac des horizons », si bien que la mise en scène ici évoquée favorise la découverte des différences auxquelles elle permet ensuite de consentir.

La dernière définition, plus courte, est aussi celle qui illustre mieux le Tout-monde comme mouvement. Elle prend d'abord une forme négative : « le monde n'est pas le Tout-monde ». Cette négation s'explique en partie par le contexte dans lequel la définition apparaît. Elle est en effet extraite d'un dialogue entre Papa Longoué et Mathieu Béluse, deux personnages clés de Glissant, qui traversent ses romans depuis *La lézarde* et qui, dans le passage considéré, discutent des pérégrinations et des découvertes que Mathieu sera amené à faire. La négation intervient en réponse à un propos de Béluse. Nous reviendrons plus loin sur les différents contextes où s'inscrivent ces définitions, mais pour l'heure, il faut souligner l'importance de cette négation qui décourage toute forme d'interprétation paraphrastique du « Tout-monde » en « monde entier » ou quelque autre synonyme de cet ordre. Comme l'indique la suite du propos – dûment souligné par la négation même qui le précède –, le Tout-monde désigne une réciprocité de rapport, entre le monde comme « roulis » et le tournoiement de la pensée du monde. L'homme et le monde sont actifs, ils agissent l'un sur l'autre. Toutefois, cette réciprocité est quelque peu asymétrique : le monde agit en « roulis », c'est-à-dire comme force qui cerne l'homme, tandis que ce dernier accueille cette force à la fois comme une réalité qui l'affecte, mais aussi comme objet de pensée. À cet égard, il est intéressant de remarquer la forme spiralée que prennent aussi bien le monde que la pensée. En effet, l'un comme l'autre « tourne[nt] » et c'est précisément dans ce mouvement en spirale que se situe le Tout-monde.

L'on est ainsi en mesure de repérer les éléments communs à ces trois définitions ainsi que les différences et les spécificités de chacune d'elles. Les trois définitions insistent sur l'importance de la dimension « pensée » du Tout-monde. Tantôt envisagée comme représentation ou imaginaire, tantôt comme mise en scène, tantôt encore comme pensée, cette dimension signale que le Tout-monde apparaît dans et par l'articulation de l'univers physique avec la part créative de l'homme. L'univers physique seul n'y suffirait pas, de même que l'homme coupé du monde se verrait coupé du lien essentiel de la relation. C'est d'ailleurs l'autre élément commun à ces trois définitions : la relation est le rapport nécessaire et réciproque qui relie l'homme au monde et, par le monde, l'homme à l'homme. Le monde, comme totalité de nos lieux physiques, est un réseau de relais et d'horizons, peuplés de communautés. En tant qu'il est pris en charge par l'imaginaire, ce même monde est un théâtre de cultures, grâce auquel il est donné à l'homme d'aller au-delà de son seul lieu et au-delà de lui-même. Enfin, les trois définitions insistent, chacune à sa façon, sur le caractère fondamentalement dynamique du Tout-monde, gigantesque tourbillon[2] de relations, de changements et d'imaginaires.

Toutefois, chacune de ces définitions a aussi ses spécificités. Pour la première, c'est le singulier de « notre univers » qui renvoie à l'acception physique prédominante permettant de désigner l'insuffisance du « seul lieu ». Pour la deuxième, c'est l'isotopie dramatique qui ancre la définition dans une approche poétique par laquelle la diversité des imaginaires est portée par le pluriel de « nos univers ». Ici, la permanence est pour ainsi dire dans le changement, dans l'en-cours et l'infini qui s'offrent à tous comme des drames à incarner. Quant à la troisième définition, elle souligne plus clairement l'idée du Tout-monde comme mouvement et insiste sur la réciprocité fondamentale qui unit le mouvement du monde au mouvement de la pensée. On le voit, ces trois définitions s'avèrent complémentaires, de par les différences mêmes qui renforcent leurs recoupements. Il nous est ainsi loisible de les envisager à la lumière de leurs différences stylistiques et des ouvrages dont elles sont extraites.

L'impératif de répétition

Si nous nous intéressons à l'aspect stylistique de ces définitions, ce n'est pas pour le plaisir de couper les cheveux en quatre, mais plutôt dans l'espoir de montrer que chez Glissant l'essayiste, le traitement stylistique fait partie intégrante de l'entreprise de définition et, plus généralement, du mouvement de la pensée.

Jusque-là, on aura passé sous silence le « je » qui ouvre la première définition et l'attribue ainsi à une voix unique, comme l'est souvent la voix d'un essayiste. Ce « je » entreprend de définir une réalité qui affecte non pas l'essayiste seul, mais la communauté dont il se sait membre et au sein de laquelle il va s'effacer en passant du « je » au « nous ». De ce point de vue, comparée à la première, la deuxième définition marque d'emblée sa différence. Le « je » de l'essayiste qui assumait sa définition disparaît avec le verbe qu'il régissait. À sa place apparaissent deux points, comme ceux qu'on trouve aux entrées d'un dictionnaire, deux points doublés d'un style plus direct et plus énumératif, comme s'il s'agissait d'inventorier les différentes déclinaisons du Tout-monde. Pourtant, l'essayiste n'est jamais loin : la réserve du lexicographe est en effet court-circuitée par la présence, ici aussi, du « nous », par l'image filée du plateau de théâtre et par l'usage de métaphores (« vrac des horizons », « mer sans fin » [Glissant, 2005 : 176]). Cependant, c'est la troisième définition qui marque le plus sa différence, avec un style visiblement dialogique par lequel la définition se donne comme « adressée » : adressée à Mathieu Béluse à qui réfère le « vous », mais avec ce qu'il faut d'ambiguïté pour rendre ce « vous » à la possibilité d'une valeur générique.

Ainsi, on observe certes des recoupements entre les trois définitions, mais aussi des différences affectant aussi bien le contenu conceptuel que les choix stylistiques. Face à ce constat, on est en droit de demander le pourquoi de ces variations. Et si, comme il a été déjà suggéré plus haut, ces variations ne sont pas le signe d'un flottement conceptuel, il convient de les intégrer dans une lecture qui leur donne leur juste valeur au sein de la pensée de Glissant. C'est à cette fin que nous invoquons ici ce que nous appelons l'impératif de répétition.

L'importance de la répétition dans l'écriture de Glissant s'offre aisément à l'intuition. Il suffirait de lire au hasard deux de ses romans, parfois même un seul ouvrage, pour constater la fréquence avec laquelle l'auteur reprend son propos pour le redire, le développer, le retourner. Chez lui, la répétition n'est pas un fait fortuit, elle constitue un véritable impératif poétique ainsi qu'il le laisse entendre à plusieurs reprises dans l'*Introduction à une poétique du divers* : « Il faut répéter » ([1995] 1996 : 82, 88). Mais pourquoi faut-il répéter ? Parce qu'une fois ne suffit pas pour faire entendre ses propositions. Et dire qu'une fois ne suffit pas, ce n'est pas simplement prendre acte de l'imprévisibilité de l'écoute humaine, c'est aussi évoquer la complexité du monde qu'un seul tour de parole ne saurait épuiser, une complexité qui, en nous imposant la répétition, prolonge cette présence au monde d'où émerge notre parole même. C'est en cela, notamment, que la répétition est un impératif poétique, car elle aiguise notre parole au contact du monde, elle érafle la lisse paroi des évidences et creuse l'écart du *dire autrement*.

L'impératif de répétition est à l'œuvre dans toute l'écriture de Glissant, depuis les recueils poétiques jusqu'aux textes romanesques ainsi qu'aux essais. Et elle est à l'œuvre à tous les niveaux : dans la reprise des grands épisodes romanesques que le lecteur retrouve d'un roman à l'autre, dans la récurrence des principaux personnages romanesques, dans le retour plus discret de tel vers ou telle phrase à l'intérieur d'un ouvrage ou par-delà les limites d'un ouvrage, et aussi dans les variantes de définition d'un même concept, comme ici le Tout-monde. En outre, le phénomène s'observe par-delà les frontières génériques. En effet, l'auteur fait éclater les frontières génériques, de sorte que certaines pages de ses essais n'ont rien à envier aux romans : des pages narratives font irruption dans l'essai et, inversement, la poésie imprègne tous les ouvrages, bref le cloisonnement stylistique inhérent à la séparation des genres se trouve déjoué. Cette pratique d'écriture rejoint une pensée qui refuse de s'ériger en système, d'où l'importance des variations. Non seulement le genre de l'essai traditionnellement propice au développement d'une pensée systématique est bousculé, mais le roman lui-même affiche son hybridité générique tandis que la rigueur définitoire cède à la variation d'une pensée où le synonyme épouse le mouvement.

Et c'est précisément le mouvement que l'auteur cherche à introduire dans le concept, ainsi que l'indique la citation placée en exergue. Nous en reprendrons la dernière phrase qui a le mérite de condenser, autour de l'idée de mouvement, celles de parole, de récit, de relation, de chant et de rapport : « La pensée de la trace confirme le concept comme élan, le relate : en fait le récitatif, le pose en relation, lui chante relativité » (*TTM* : 83). Il est important de remarquer le rapprochement établi entre la forme de la pensée et le rapport au monde. Ce rapprochement est à l'œuvre dans la diversité des sources où nous avons puisé les trois définitions par lesquelles s'ouvre cette discussion : un *Traité* qui, par sa forme et son style, est tout sauf un traité (au sens classique du genre), un essai aussi fragmenté que le *Traité* en question et un roman dont l'auteur reconnaît qu'il « risque un dépassement des genres littéraires établis[3] » (1996 :130). La pensée, selon cette perspective, n'est pas une activité qui s'exerce en vase clos, elle est ce qui informe notre rapport au monde et notre rapport à l'autre, elle se tient toujours ouverte au prolongement. Dès lors, un concept ouvert n'est pas seulement offert à la répétition, il est surtout offert comme *in-fini*, il est disponible au travail non pas d'achèvement, mais d'exploration (et là, reprises et répétitions deviennent inévitables), prêt à se laisser façonner dans l'échange. À l'inverse, au sein d'un système, un concept ne peut être que clos, parce qu'un système n'est tel qu'achevé, complet. C'est sans doute pour cela que Glissant associe la pensée du système à l'esprit de conquête tandis que la pensée qu'il appelle archipélique ressortit à l'effort de relation[4].

Le style du Tout-monde

Dès lors, variation et répétition font partie, chez Glissant, du travail sur les concepts. Ce travail engendre un style particulier, un style qui, pour emprunter le mot à Roger Caillois (1972 : 128), prouve son objet. C'est « le plein-style du Tout-monde », généreusement illustré par le début du roman éponyme (*TM* : 17-27). Ces pages inaugurales nous permettront de signaler une traduction scripturale – parmi d'autres – du concept de Tout-monde tel que nous l'avons vu défini plus-haut.

Dès les premières pages de *Tout-monde*, nous rencontrons deux personnages fort théâtraux dont les discours se relaient. Il s'agit de Colino et de Panoplie Derien. À propos du premier, on signalera que son discours est évoqué en tant que comparant dont le corrélat est notre rapport au monde :

> Vous voyez le monde en tempête et vous essayez non pas de dérouler votre débandade de mots dans cette folie mais bien

> plutôt d'étirer ce style de la tempête et d'en soutirer le taffia noir et clair où vous buvez. Et ça prend des temps et des temps, pas un ne comprend, vous vous appliquez, dans le silence que font ces fracas du monde.
>
> En total, vous fonctionnez comme faisait Colino (*TM* : 21).

Ce rapprochement entre le style et une approche du monde est en effet éclairant, puisqu'il donne une dimension poétique à notre rapport au monde et présente la parole comme ayant la capacité d'adhérer au monde ainsi envisagé. Avec une telle parole, Colino dévale « dans nos vérités cachées » (*TM* : 21) et déroule un « théâtre pour nos obscurités » (*TM* : 22). Il apparaît comme celui qui accorde, si l'on peut dire, le discours au chaos :

> Il pétaillait les mots, c'était Colino-philosophe, qui mélangeait, disait-il, la poudre à canon dans une barrique de malédiction avec les débris en poussière de la bête-longue, où avait-il pris ça, pas un ne sait. Mais nous connaissons que c'était la vérité vraie. Alors il était plein de ce tourbillon, les bras croisés serrés sur son corps, il allait de çà et là, il tournait comme une toupie mabial, et les mots en tourbillon précipitaient par sa gorge en sauts de roche.
>
> Ou bien il ouvrait les bras au large, c'était Colino-fou-en-tête, il planait sur l'étendue, il nous ramassait en foule dans l'espace délimité à l'infini par ses bras, et alors il déroulait son histoire comme un fil tout du long, et il vous promenait tout au large de la Savane en plein Fort-de-France, et vous courez avec lui sur les eaux de la mer et les nuages de là-bas (*TM* : 22).

Nous retrouvons dans ce passage le motif du tourbillon, déclinaison du mouvement spiral caractéristique du Tout-monde, décrivant ici la façon de parler de Colino. Son style est comparé à une toupie, image miniature du tourbillon, les deux ayant en commun non pas seulement l'orientation circulaire du mouvement, mais également l'idée de vitesse. Le lecteur familier de l'œuvre de Glissant reconnaît également quelques autres motifs : la barrique de malédiction léguée au premier Longoué par La Roche et qui accompagne les Longoué jusqu'à l'extinction du dernier, ou encore les « sauts de roche » devenus, depuis *La case du commandeur*, l'expression d'un temps fragmenté et difficile à lire à mesure qu'on explore le passé lointain. Nous reviendrons sur ce passage plus loin, mais, pour l'instant, intéressons-nous à l'autre personnage important du début de ce roman : Panoplie Derien.

Ce personnage est présenté comme celui qui ramène la « folie de théâtre » au milieu de la communauté, qui la croyait disparue pour de bon avec Colino (*TM* : 22). Comme Colino, Panoplie « nous montre le monde au loin » (*TM* : 23). De fait, il s'engage dans un long discours allant du dernier rêve de Sa Sainteté le Pape jusqu'au sort des neiges du mont Blanc en passant par les enfants squelettiques d'Éthiopie et le chapelet des séismes – « et il brode sur le mot *–cé-i-sseme* – pour mieux souligner la dévastation (*TM* : 24) ». Sa parole, à lui aussi, est un tourbillon, et elle embrasse le proche et le lointain, variant les accents comme pour mieux s'accorder aux paysages :

> Or soudain, c'est Panoplie-fou-en-tête. Il vous brandit que c'est partout déréglé, déboussolé, décati, tout en folie, le sang le vent, mais que c'est le monde entier qui vous parle par ma voix de Panoplie. « Où que vous tournez, c'est désolation. Mais vous tournez pourtant. »
>
> Il a quitté le tourbillon, tendu les bras sur l'horizon. Vous êtes tout étourdi du changement. Il plane dans l'étendue, il est prophète, mystique, les doigts écartés. Il pointe la bouche sur le français le plus doux-sirop de France, il déroule son histoire tout en fil de France. Vous oubliez les discours ravaudés des musiqueurs de représentation, vous appréciez le style coulant comme clarinette, ce n'est pas de France, allez plus à fond, c'est le plein-style du Tout-monde. Parce que ce qu'il vous parle ainsi, c'est le monde. Parce que ce qu'il vous chante, c'est la lune (*TM* : 25-26).

Les deux personnages de Colino et de Panoplie illustrent les observations faites plus haut concernant le rôle de la répétition et de la variation dans l'intelligence du Tout-monde. On peut, en effet, dire que Colino et Panoplie, dans ces pages du moins, sont l'avatar l'un de l'autre tant leur ressemblance est frappante. Cela commence par la déclinaison des noms, effectuée selon un mode symétrique : à Colino-philosophe correspond Panoplie-philosophe, de même qu'à Colino-fou-en-tête correspond Panoplie-fou-en-tête. La ressemblance des noms ne doit rien au hasard si l'on considère le parallélisme présidant à leur formation ainsi que la proximité des discours associés, d'un côté, au « philosophe » et, de l'autre, au « fou-en-tête ». Aussi bien Colino-philosophe que Panoplie-philosophe portent un discours tourbillon – le terme revient explicitement chez l'un et chez l'autre – un discours débridé et marqué par l'excès verbal (Colino-philosophe « pétaillait les mots » ; Panoplie-philosophe vous prend dans son tourbillon). Au type

« fou-en-tête » revient le même geste des bras désignant l'étendue du monde ; ce geste signale une évolution du discours qui devient voyage à travers le monde. Il traduit, en outre, une idée très fréquente chez Glissant selon laquelle le lieu s'ouvre sur l'ailleurs, de même que l'ailleurs vient s'installer dans l'ici. On a déjà rencontré cette idée dans la première définition du Tout-monde analysée plus haut. On la retrouve dans le très court chapitre du *Traité* concernant « le lieu » (*TTM* : 59-60), chapitre dont l'intégralité constitue l'exergue au premier chapitre de *Tout-monde*... Et cette idée répandue, on la retrouve ici aussi, dans les discours de Colino et de Panoplie, non seulement avec ce geste des bras que nous venons d'évoquer, mais également dans la parole même des personnages : « Panoplie vous chante qu'on voit le monde à partir de n'importe quel pays » (*TM* : 24), tandis que Colino « vous promenait [...] sur les eaux de la mer et les nuages de là-bas » (*TM* : 22).

Nous venons de signaler le parallélisme qui sous-tend la déclinaison des noms de Colino et de Panoplie, et de suggérer que ce parallélisme accompagne une similitude dans leurs discours respectifs, lesquels relaient à leur tour certains aspects du Tout-monde tel que Glissant le définit. On peut aller plus loin et dire que la déclinaison des noms de ces deux personnages donne à voir quelque chose de la relation telle que nous l'avons articulée au Tout-monde. On a vu que le Tout-monde faisait de l'imaginaire ce qui ouvre le lieu particulier à tous les lieux du monde. C'est par lui, écrit Glissant, qu'il est possible de « plonger à l'imaginaire » de la totalité (*TTM* : 176) et de consentir à ses différences. Le discours de Panoplie, plus détaillé que celui de Colino, éclaire ce voyage de l'imaginaire. En effet, ce discours oscille entre le tourbillon, qui correspond au « philosophe », et le déroulé, qui correspond au « fou-en-tête ». Cette oscillation se donne à voir à travers la différence de deux styles, le style « ravaudé » des musiqueurs et le style « coulant » de France. Curieusement, le style ravaudé correspond au tourbillon du « philosophe », tandis que le style coulant (symbolisé par la clarinette) correspond au « fou-en-tête ». Il est peut-être heureux que ces oppositions interviennent au sein d'une isotopie musicale où la différence entre le son « ravaudé », c'est-à-dire métissé, des Antilles et le son lisse de la clarinette n'est que trop facile à concevoir. Or ce voyage à travers des traditions stylistiques différentes n'est pas présenté comme un choix entre un bon style et un mauvais, mais bien comme un dialogue des ailleurs : « [...] vous appréciez le style coulant comme clarinette, ce n'est pas de France, allez plus à fond, c'est le plein-style du Tout-monde » (*TM* : 26). Aller plus à fond, c'est l'enjeu même de ce voyage, dépasser l'antagonisme des lieux pour atteindre leur relation souterraine. Et cet « aller plus à fond » articule le monde et l'imaginaire, cet imaginaire symbolisé par *La luna* du peintre Gamarra et qui apparaît comme le corrélat du monde : « Parce que ce qu'il vous parle ainsi, c'est le monde. Parce que ce qu'il vous chante, c'est la lune » (*TM* : 26).

Dans cette perspective, la déclinaison des noms est comme une évolution du personnage. De même que, sur un plateau de théâtre, il est possible d'incarner plusieurs personnages, de même Colino et Panoplie endossent plusieurs identités à mesure qu'ils développent le style du Tout-monde. Tout concourt à indiquer que ce voyage dans le Tout-monde affecte non pas seulement le discours, mais l'être même du voyageur au point que ce dernier doit revêtir un nouveau nom, plus accordé à la contrée qu'il visite. Dans cette perspective, il est intéressant que ce nouveau nom ne remplace pas l'ancien, mais s'ajoute à lui ; il cohabite avec lui et atteste ainsi de la créolisation opérée par l'accueil de l'ailleurs dans mon lieu.

Néanmoins, il faut reconnaître que l'extravagance des discours de Colino et de Panoplie dénote aussi un certain degré de folie. Le terme est utilisé à propos de Colino qui entretient la « folie de théâtre », et la description de Panoplie paradant « comme un molocoye dans un nid de fourmis folles, costumé en Inca d'Afrique » (*TM* : 23) n'est pas tout à fait anodine. C'est que le voyage dans le Tout-monde n'est pas une promenade de santé. Les extraits cités plus haut donnent une idée des paysages qu'il offre à traverser : frappés de séismes, de famines, de guerre, quoique celle-ci soit toujours dotée d'une part de beauté. Ce soupçon de folie rappelle que le voyage dans le Tout-monde est aussi une errance, une plongée dans la souffrance du monde, une aventure capable de vous faire perdre la tête. Et l'on rejoint, par cette expression familière, le tout début du roman *Tout-monde* où le pays – l'Île des Revenants – et son histoire sont comparés à l'impératrice décapitée : « C'est un corps sans tête, notre histoire, tout comme la statue de Joséphine I.D.F. (Impératrice des Français [...]) que des intrépides [...] ont décapitée dans une des allées de la Savane à Fort-de-France » (*TM* : 17). Ce corps sans tête symbolise une histoire particulière, parcellaire et difficile à recomposer. C'est à la fois l'histoire d'une aliénation, celle d'un peuple pris dans la servitude, sans la possibilité de former une communauté de parole (puisque la parole de l'esclave est isolée), et c'est l'histoire d'un refoulement, d'un rejet de tout un pan d'histoire qu'il est douloureux de garder.

Cette double dimension – aliénation et refoulement – est l'un des facteurs de la fragmentation dans l'écriture de Glissant ; elle se traduit souvent par l'image déjà rencontrée des « sauts de roche ». Selon *La case du commandeur*, elle remonte au « mitan du temps », ce moment « où il s'est passé quelque chose que nous rejetons avec fureur loin de nos têtes, mais qui retombe dans nos poitrines, nous ravage de son cri » ([1981] 1997 : 117). Ce moment est présenté comme un « trou du temps » au bord duquel « nous dévalons plus vite en sautant de roche en roche » (p. 118). Dans *La case du commandeur*, ce trou du temps est au cœur du délire verbal et on remarque que, dans *Tout-monde,* il constitue comme un trait d'union entre le corps sans tête qu'est l'histoire et les « sauts de roche » qui peuplent le discours de Colino. L'aliénation et le refoulement sous-tendent ainsi l'errance et la fragmentation du discours, mais ils sont également liés à l'opacité du temps. En effet, comme le montre l'*incipit* de *Tout-monde*, c'est parce que l'histoire est un corps sans tête que le pays est une Île des Revenants. C'est du moins une des interprétations suggérées. Revenir, c'est pratiquer les détours et les retours pour établir des liens entre les fragments de cette histoire. Ce faisant, on découvre aussi quelque chose du Tout-monde.

De fait, l'Île des Revenants est

> [u]n pays où la dérive de l'habitant, ce par quoi il tient à la terre, comme une poussière têtue dans l'air, c'est cet aller tout aussi bien que ce revenir, à tous les vents. Notre science, c'est le détour et l'aller-venir. Un pays ouvert, mais qui ne fut jamais déboussolé de son erre et d'où, si la pensée s'envole, ce n'est pas en fuligineuses déperditions. Un pays éperdu dans ses calmes plats, mais qui ne s'est jamais perdu.
>
> C'est de ces sortes de pays-là qu'on peut vraiment voir et imaginer le monde (*TM* : 18).

Et nous voilà prêts à accomplir la boucle : l'Île des Revenants est le pays des retours, ces retours gravés, en tant que répétitions et variations, dans les définitions du Tout-monde analysées au début de ces pages. Ces répétitions et variations caractérisent le Tout-monde en tant qu'elles articulent le monde et la vision du monde. Aussi, voir et imaginer le monde est-ce parcourir ces contrées de souffrance et de beauté où nous avons suivi Colino et Panoplie, mais c'est consentir également à la vision et à l'imaginaire qui ouvrent nos lieux à la relation. Assumer la réalité du monde, aussi difficile qu'elle puisse être, tout en s'ouvrant à sa diversité, voilà l'enjeu au cœur du mouvement du Tout-monde et qui donne à ce concept une dimension poétique et éthique.

Le Tout-monde entre poétique et éthique

Avant d'aborder les dimensions poétique et éthique du Tout-monde, il convient d'abord d'indiquer que ce concept relève fondamentalement d'un triple constat. Tout d'abord, le constat de l'interdépendance du vivant est formulé dans la deuxième définition du Tout-monde que nous avons étudiée, où l'auteur observe que la plus infime des composantes du Tout-monde « nous est irremplaçable » (2005 : 176). Or, cette interdépendance qui, pour le reste des vivants, revêt une forme principalement biologique, s'exprime aussi, chez l'homme, à travers l'imaginaire. Elle peut s'exprimer sous une forme exclusive à travers ce que Glissant appelle « les cultures *ataviques* », ou sous une forme métissée par ce qu'il appelle « les cultures *composites* » ([1995] 1996 : 59). Mais, même lorsqu'elle exclut, la culture atavique reconnaît non seulement l'existence de l'autre (sans quoi il n'y aurait pas exclusion), mais surtout la possibilité qu'a l'autre de s'intégrer à la culture excluante. Autrement dit, la culture atavique reconnaît, sinon la nécessité, au moins la possibilité de l'accueil des différences. Or, ainsi qu'on l'a vu, l'imaginaire prolonge la relation au-delà des limites imposées par le lieu et le corps. Par lui, la plus atavique des cultures garde une certaine forme d'ouverture à l'ailleurs, fût-ce sous une forme viciée par le désir de conquête. L'imaginaire tisse ainsi des liens souterrains entre les peuples, il préside au Tout-monde en tant qu'expérience et imagination du monde.

Par ailleurs, le Tout-monde pose le constat du monde comme donné évolutif et comme projet. À cet égard, on ne saurait trop souligner l'articulation du monde et de la pensée qui est au fondement du Tout-monde et qui affranchit ce dernier du double danger de la réduction à un donné matériel brut ou à une pure vue de l'esprit. « Le monde n'est pas le Tout-monde », insiste Longoué (*TM* : 208), avant de poser la relation circulaire qui unit le monde à la pensée et la pensée au monde, et en dehors de laquelle l'unité du Tout-monde se dissoudrait. En insistant sur l'univers « tel qu'il change et perdure en changeant » (*TTM* : 28), la définition affirme le caractère foncièrement évolutif de la totalité-monde. D'un autre côté, en soulignant « les représentations qu'elle nous inspire » (*TTM* : 28), la définition inscrit la pensée humaine dans le mouvement général du Tout-monde, c'est-à-dire dans l'évolution non seulement du monde physique, mais également du monde humain. Cette place réservée à la pensée conduit au troisième constat, à savoir que l'homme a la possibilité d'envisager le monde comme un projet, puisque le monde lui-même n'est pas une forme fixe et achevée, et que son évolution offre un choix de possibles. C'est sur ce triple constat que reposent les deux dimensions – poétique et éthique – du Tout-monde.

En vérité, la possibilité de projeter présuppose les autres faces du constat, ce qui lui permet d'ouvrir aux dimensions poétique et éthique du Tout-monde. Car, aussi bien la poétique que l'éthique présupposent une certaine liberté d'agir et elles seraient inconcevables dans un monde où tout serait prédéterminé. En tant que concept poétique, le Tout-monde permet d'éclairer la trajectoire de l'œuvre de Glissant, prise dans une expansion où la reprise et la pluralité énonciative jouent un rôle central. C'est aussi un concept poétique en ce sens qu'il désigne une façon particulière d'approcher l'écriture : il traduit, en effet, une manière de dire le monde qui dépasse le dilemme de l'exact et du rêvé, une approche qui fait de la pensée et de l'imaginaire des dimensions du monde factuel. En cela, le Tout-monde relève d'une poétique de la relation puisque l'imaginaire est cela qui, tout en caractérisant la richesse des cultures particulières, en désigne la limite et, donc, le besoin d'ouverture. Et c'est par cette ouverture à la relation que le Tout-monde acquiert une dimension éthique.

Dans l'*Introduction à une poétique du divers*, Édouard Glissant, essayant d'illustrer cette part éthique du Tout-monde, rapporte plusieurs exemples dont le plus développé est l'initiative de l'Union Romani Internationale d'organiser un Congrès pour la Paix dans l'ex-Yougoslavie. Dans le communiqué de l'Union, Glissant retrouve les principales articulations du Tout-monde notamment le consentement aux différences, l'ouverture au monde et même l'adhésion à une utopie susceptible de devenir le chemin de la paix. Cet appel permet à Glissant de rappeler que les oppositions qu'il repère (celle, par exemple, entre culture atavique et culture composite) ne doivent pas laisser penser que le Tout-monde est un appel à dissoudre une partie du monde considérée comme négative dans une autre considérée comme positive. Au contraire, en faisant de l'imaginaire le principe moteur du Tout-monde, il insiste sur la nécessité d'« aller plus à fond », de chercher la part ouverte de l'autre par laquelle il devient possible de fonder la relation là où elle ne paraissait plus envisageable. D'une certaine manière, cette approche est utopique, une utopie qui repose sur la fragilité de la confiance. Mais cette approche trouve aussi dans l'évolution du monde, tel que nous le connaissons, de quoi se fonder en confiance.

En effet, dans un chapitre différent du même ouvrage, Glissant évoque le chaos-monde, un parasynonyme du Tout-monde par lequel l'auteur développe une analogie entre sa conception du Tout-monde et les sciences du chaos. Les deux principes majeurs sur lesquels il fonde l'analogie sont la sensibilité aux conditions initiales et l'imprévisibilité du résultat. Pour Glissant, le chaos a cela de fascinant qu'il n'oblige pas à choisir entre l'un et l'autre principe (les deux principes pouvant, à première vue, paraître incompatibles), et qu'il permet de prendre en compte le passé sans pour autant considérer l'avenir comme étant inévitablement condamné. Transposé dans le domaine du Tout-monde, ce raisonnement met à contribution l'imaginaire et la relation. Non seulement la part d'imaginaire du Tout-monde conduit à la prise de conscience du rôle crucial que jouent les différences dans l'évolution du Tout-monde, mais même les situations apparemment bloquées dans l'antagonisme, et dont on trouve peut-être une des plus fortes illustrations dans le *Traité*, même ces situations-là n'échappent pas à la force de l'imprévisible. L'imprévisible, qui préside au devenir du Tout-monde, constitue à la fois le principe de sensibilité aux conditions initiales et le principe de relation. Il permet d'assumer un rôle actif dans ce que nous pouvons désormais appeler le monde-projet, sans pour autant succomber à la prétention somme toute illusoire de la maîtrise. Ainsi comprise, la Relation n'est pas une notion moralisante, mais d'abord un constat d'ordre anthropologique, le constat d'une condition à laquelle nul ne saurait se soustraire : nous sommes, sinon jetés, assurément pris dans la Relation.

C'est là que résident, en même temps, la beauté et la fragilité du Tout-monde. Beauté, parce qu'il permet de penser le lien qui sort l'homme de l'isolement et du repli sur soi ; fragilité, parce que ce lien n'opère qu'une fois consenti. C'est dans le consentement ou non au Tout-monde, dans le consentement ou non à la Relation que se situe la dimension éthique de cette pensée. Le consentement ouvre à la Relation et à l'exploration du Tout-monde, tandis que le refus conduit aux replis identitaires, qui sont autant de refus d'une large part du monde. Le Tout-monde reste une réalité ouverte, inachevée, une réalité que tous les consentements contribuent à développer, dans ses dimensions concrètes aussi bien que dans sa part d'imaginaire. En définitive, si le Tout-monde comme style implique l'impératif de répétition, ce n'est peut-être pas uniquement en raison de la complexité du monde tel qu'il est, mais peut-être aussi parce que le consentement requis passe par un éveil des imaginaires et que la part à venir du monde s'offre en partie comme projet, et fait ainsi appel à la vision, à la pensée et à la créativité de tous.

Nous pouvons à présent indiquer en quoi le Tout-monde constitue un lieu de convergence de la pensée de Glissant. La complexité de ce concept en fait pour ainsi dire un réseau. Pris dans sa dimension évolutive, il exige une certaine idée des interactions du vivant. Ce dernier ne tisse pas seulement des relations d'interdépendance entre les différentes espèces, mais aussi avec l'ensemble plus large du monde physique. À l'échelle de l'homme, ces interactions intègrent la sphère de la culture, rendant possibles les phénomènes de créolisation et de création. À ce niveau, la Relation s'enrichit alors de toutes les pratiques et attitudes poétiques développées dans les communautés humaines, mais elle s'expose aussi à toutes sortes de conflits résultant des antagonismes et des replis identitaires. À la complexité déjà considérable du monde infrahumain s'ajoute ainsi la complexité du monde humain, avec ses variations, ses erreurs, ses espoirs aussi. Le Tout-monde apparaît ainsi comme le lieu de ces complexités, un lieu ouvert et inachevé, et qui se propose au consentement et à l'exploration créative des cultures.

Somme toute, la pensée volontiers recommencée de Glissant cherche à établir le « concept comme élan ». Dans les variations qui informent aussi bien l'écriture des essais que celle des romans, l'auteur fonde l'art de la répétition. Il s'agit d'une répétition qui n'est pas ressassement, mais qui traduit plutôt une volonté d'établir une différence de regard, une insistance dans le déplacement aussi bien qu'une reconnaissance de la complexité d'un monde que nul regard ne saurait épuiser. Un monde reconnu dans ses multiples dimensions – physique, temporelle, vivante, culturelle… –, un monde foncièrement inachevé parce que pris dans une perpétuelle évolution et, par là même, exposé aux choix humains. C'est un monde qui se laisse dire et se laisse rêver, un monde qui est aussi le théâtre de l'histoire plurielle des hommes et qui, de ce point de vue, agit sur l'homme en même temps que ce dernier agit sur le monde. Sa grande diversité nourrit nos imaginaires et nos poétiques, elle se trouve au cœur de la Relation, conviant les hommes à consentir aux différences. Nous savons que ce consentement n'est pas toujours acquis, et c'est une des fragilités du Tout-monde ; nous savons aussi que, toujours inachevé, le monde s'offre à l'imaginaire, et c'est là la beauté du projet.

NOTES

---

1. Édouard Glissant (1997), *Traité du Tout-monde*, Paris, Gallimard, p. 83 (désormais, les références à cet ouvrage seront indiquées par le sigle *TTM*, suivi du folio, et placées entre parenthèses dans le texte.). L'article reviendra également plusieurs fois au roman *Tout-monde* ([1993] 1995, Paris, Gallimard, Folio) dont les références seront indiquées par le sigle *TM*, suivi du folio, et placées entre parenthèses dans le texte.
2. Mot cher à Glissant, rimant souvent avec « trou-bouillon », et qui est, comme on le verra, un de ceux qui traduisent le modèle spiral de la pensée et de l'écriture de Glissant.
3. « Les éditeurs appellent ça un roman, dit l'auteur sans doute avec un peu d'humour, donc je pense que le public peut le considérer comme tel » (Glissant, [1995] 1996 : 129).
4. Précisons : on pourrait objecter que le terme même de « conquête » suggère une forme de mouvement et que, par conséquent, la pensée du système porte en elle une certaine ouverture. L'objection n'est pas dénuée de sens, comme on le verra plus loin. Cependant, le mouvement de conquête tend vers la fixité selon la logique même de l'assimilation, tandis que la relation est foncièrement ouverte parce qu'elle n'assimile pas les identités à l'identique.

BIBLIOGRAPHIE

CAILLOIS, Roger (1972). *Poétique de Saint-John Perse*, Paris, Gallimard.

CHANCÉ, Dominique (2002). *Édouard Glissant : un « traité du déparler »*, Paris, Karthala.

GLISSANT, Édouard ([1981] 1997). *La case du commandeur*, Paris, Gallimard.

GLISSANT, Édouard ([1993] 1995). *Tout-monde*, Paris, Gallimard.

GLISSANT, Édouard ([1995] 1996). *Introduction à une poétique du divers*, Paris, Gallimard.

GLISSANT, Édouard (1997). *Traité du Tout-monde*, Paris, Gallimard.

GLISSANT, Édouard (2005). *La cohée du Lamentin*, Paris, Gallimard.

Défis liés à la culture dans la réponse aux besoins des familles francophones de l'Alberta

France Gauvin, Tamarha Pierce et Marie-Hélène Gagné
Université Laval

Qu'il s'agisse simplement d'échanges interculturels au sein d'une communauté diversifiée ou de l'acculturation vécue à la suite de l'émigration, l'individu qui est confronté à des différences culturelles se voit souvent bousculé dans sa façon de penser et d'agir. De telles expériences psychologiques déstabilisantes peuvent compliquer l'adaptation à divers événements et apporter en soi sa part de défis dans la vie quotidienne. Qu'en est-il de ces défis dans un contexte de mobilité interprovinciale et d'immigration au sein d'un pays à dualité linguistique comme le Canada ? Une étude effectuée dans le contexte minoritaire francophone de l'Alberta permet d'examiner ce que représentent ces défis pour une population diversifiée sur le plan culturel, par une analyse des besoins en matière de soutien social formel et informel.

Thomas H. Holmes et Richard H. Rahe (1967) soutiennent que le niveau de stress d'une personne est directement influencé par les exigences d'ajustement à son environnement. Ainsi, plus une personne doit faire face à d'importants changements dans sa vie, plus son niveau de stress est élevé, ce qui la rendrait davantage vulnérable à la maladie dans l'année qui suit (Rahe, Mahan et Arthur, 1970). Des études rapportent, de fait, que le stress peut avoir des conséquences importantes sur la santé mentale et physique de l'individu, tant chez la population immigrante que chez la population générale (Beiser, 2005 ; Thoits, 1995). Toutefois, selon les études recensées par Kathleen Boucher et Réjeanne Laprise (2001), Benjamin H. Gottlieb (1994) et

Peggy A. Thoits (1995), le soutien social permettrait d'amoindrir les effets néfastes du stress sur la santé physique ou mentale. Ainsi, pour l'aider à gérer une situation de stress et atténuer ses conséquences négatives, l'individu puisera, entre autres, dans ses ressources personnelles et fera appel aux ressources disponibles autour de lui.

La présente étude vise à recueillir le point de vue des francophones de l'Alberta afin de dresser un portrait de leur expérience de stress et de soutien en provenance de divers types de ressources en lien avec des événements de la vie. Cette analyse a pour but de décrire leurs besoins en matière de soutien social formel et informel et d'obtenir des indications quant à la priorité des besoins à combler pour cette communauté. Considérant la diversité culturelle de ce milieu, cette étude tient compte des différences possibles entre cinq sous-groupes culturels représentés au plan de leurs expériences et de leurs perspectives à l'égard du soutien social.

Pour les francophones vivant en Alberta – un groupe minoritaire composé de personnes nées au sein de cette communauté, originaires d'une autre région du pays ou ayant immigré au Canada –, la vie de tous les jours est composée de situations amenant des échanges interculturels avec la majorité anglophone. Ces échanges les rendent davantage conscients de leur statut minoritaire au sein de la société albertaine (Pedersen, 2006) et peuvent entraîner des difficultés de communication, de l'incompréhension et une perception de conflit entre son propre cadre de référence culturel et celui du groupe majoritaire (Ashton *et al.*, 2003 ; Fronteau, 2000), contribuant à l'expérience de ce que John W. Berry (1997, 2006) appelle un stress acculturatif. Ce stress propre à leur statut de francophones peut ainsi s'ajouter au stress relié à des événements de la vie courante, un stress additionnel que ne ressentent pas les membres de la culture majoritaire. Comme le soulignent Chi-Ah Chun, Rudolf H. Moos et Ruth C. Cronkite (2006), les méthodes de mesure employées pour objectiver le stress et les paradigmes d'adaptation au stress courant ne tiennent pas compte de la signification des événements pour les individus et négligent la contribution de la culture. Ainsi est-il important de prendre en compte la réalité subjective des francophones de l'Alberta dans l'évaluation de leur expérience de stress et leur besoin de soutien.

Au Canada, la situation et les conditions de vie des francophones minoritaires constituent un champ de recherche encore peu exploré

(M'Bala, 2005). Cependant, en appui à cette idée d'un poids additionnel occasionné par le stress acculturatif, on rapporte que les francophones en situation minoritaire au Canada semblent généralement en moins bonne santé que les autres résidents de leur province (Comité consultatif des communautés francophones en situation minoritaire, 2001). Cet état de santé plus fragile pourrait-il s'expliquer en partie par le fait que, comparativement aux membres du groupe majoritaire, les événements de vie représentent un stress plus important pour les membres de groupes minoritaires ?

Selon Berry (1997, 2005, 2006), le processus d'acculturation réfère aux changements culturels qui résultent du contact prolongé avec une culture différente de sa culture de référence et qui met à l'épreuve les capacités d'une personne immigrante à s'adapter au nouveau milieu. Elle doit s'adapter à de nouvelles façons de faire de la société d'accueil et y trouver sa place pour être reconnue socialement. Ces défis sont considérables si l'individu est originaire d'un autre pays et valorise des normes et des valeurs différentes de celles du pays d'accueil. Bien que le stress acculturatif soit décrit comme un phénomène essentiellement lié à l'immigration, il est possible que le stress issu d'échanges conflictuels ou déstabilisants avec les membres de la culture majoritaire affecte également des personnes issues d'un même pays qui se trouvent en situation de minorité linguistique et culturelle (par exemple, en raison de migration interprovinciale ou de changements historiques sur le plan sociodémographique). Berry et ses collaborateurs (1989) soulignent d'ailleurs que le modèle d'acculturation a été appliqué à l'étude de populations indigènes en Australie et autochtones ou canadiennes-françaises au Canada. Aux États-Unis, le concept de stress acculturatif a été appliqué à la compréhension du stress vécu au sein des familles hispaniques, immigrantes ou non, mais formant un groupe hétérogène partageant la même langue (Padilla et Borrero, 2006). Ainsi est-il possible de penser qu'un stress émanant de difficultés de compréhension et de reconnaissance culturelles et linguistiques dans les transactions de soutien avec l'environnement, tel que le stress acculturatif, peut être perçu comme un manque de soutien ou un soutien social inadéquat par l'ensemble des membres composant une communauté minoritaire francophone.

Objectifs

À partir des registres objectif et subjectif de leur vécu, la présente étude examine les expériences de vie des répondants en considérant deux types de réseaux de soutien : le réseau informel (les amis, la famille, etc.) et le réseau formel (institutions, organismes communautaires, etc.). Plus spécifiquement, la présente étude vise à : 1) dresser un portrait objectif du stress et du soutien social des répondants, en comparant leurs réponses à des normes établies ; 2) comparer la situation objective des différents sous-groupes culturels au sein de la communauté francophone albertaine ; 3) analyser les perceptions subjectives des répondants à l'égard du stress vécu en lien avec le soutien perçu, les ressources souhaitées et les limites à l'accès ; 4) comparer les besoins prioritaires exprimés par des sous-groupes de francophones albertains. Il est attendu que l'écart entre le portrait dressé au registre objectif et celui obtenu par le registre subjectif reflète le stress acculturatif vécu par les répondants. Ainsi, les besoins soulevés par ces derniers dans le registre subjectif devraient-ils référer, en partie, à des manques de compréhension ou de reconnaissance de leur identité francophone.

Méthodologie

Cette étude de besoins exploratoire emploie un devis de recherche mixte intégrant à la fois des stratégies qualitatives et quantitatives, tant dans la méthode que dans l'analyse des données. Par sa complémentarité, une telle approche permet, d'une part, d'obtenir des données probantes pour évaluer la réalité objective du stress et du soutien disponible aux répondants comparativement à des normes établies et, d'autre part, d'obtenir le point de vue subjectif des répondants quant au stress vécu et à leurs besoins de soutien non comblés.

Participants et procédure

La stratégie d'échantillonnage par cas multiples visait un critère de diversification sur la base de variables culturelles plutôt que de représentativité statistique, de manière à inclure la plus grande variété possible de représentants des différents sous-groupes culturels ciblés. Le recrutement s'est effectué à partir de trois sources afin de rejoindre le plus de gens possible à travers la province et s'assurer de la diversité culturelle : la première auteure, l'Institut Guy-Lacombe de la famille et le Réseau santé albertain. Une annonce a été publiée dans le journal francophone provincial, une station de radio communautaire de la région nord a diffusé l'information, et divers organismes provinciaux et associations des différents groupes culturels ciblés ont été sollicités pour apporter leur soutien dans la communication de la publicité à leurs membres. La publicité a été transmise par courrier électronique ou affichée dans les centres de ressources régionaux de la province, certains bureaux de médecin et babillards publics. L'Institut Guy-Lacombe de la famille a géré les noms des participants répondant à l'appel et le Réseau santé albertain a distribué, lors d'une enquête en cours, des feuillets-réponses invitant les personnes intéressées à prendre part à l'étude. Pour encourager la participation, un prix d'une valeur d'environ 60 $ a été attribué, par tirage au sort, à un des répondants. Les participants ont pris part à une entrevue téléphonique structurée, réalisée entre juillet et septembre 2005, par la première auteure ou une assistante de recherche préalablement formée pour assurer l'uniformité des entrevues. Ces procédures ont été approuvées par le Comité d'éthique de la recherche de l'Université Laval, le 2 février 2005.

Pour être considérés admissibles à l'étude, les répondants devaient résider en Alberta depuis au moins un an, habiter la province au moment de l'étude et déclarer le français comme langue maternelle ou d'adoption. Soixante-quinze volontaires s'identifiant comme francophones et provenant de cinq sous-groupes culturels correspondant à leur lieu d'origine ont pris part à l'étude, soit : le Québec (33 %), l'Ouest canadien (28 %), l'Ontario et les Maritimes (15 %), l'Europe (15 %) et l'Afrique (9 %). On dénombre 54 femmes et 21 hommes, âgés entre 27 et 73 ans. Sur ce vaste territoire, le lieu de résidence des participants se situe en grande partie au centre de l'Alberta (67 %), avec une minorité de répondants résidant au sud (24 %) ou au nord (9 %) de la province. La majorité (54,7 %) des répondants sont arrivés en Alberta après l'âge de 26 ans, 17,3 % entre l'âge de 19 et 25 ans, 9,3 % à l'âge de 18 ans ou moins, alors que 18,7 % des gens sont nés en Alberta. Un total de 90,7 % des répondants ont déclaré le français (seul ou également l'anglais ou une autre langue) comme langue maternelle, alors que 80 % des répondants ont déclaré le français (seul ou également l'anglais) comme langue d'usage principale.

Instruments de mesure

Les différents instruments évaluent le stress et le soutien au plan des registres objectif et subjectif, permettant ainsi de dresser un profil global de la situation des répondants et de déterminer les besoins en matière de soutien.

Registre objectif

Sur le plan objectif, le niveau de stress est mesuré à l'aide de l'adaptation révisée et mise à jour de l'Échelle pour l'évaluation de l'ajustement social (SRRS) de Holmes et Rahe (1967 ; Hobson *et al.*, 1998). Parmi une liste de 51 événements de vie stressants, les répondants indiquent par « oui » ou « non » s'ils ont vécu chacun des événements au cours des 12 derniers mois. D'autres événements peuvent être ajoutés à cette liste, si désiré.

Deux questionnaires évaluent la disponibilité et la satisfaction à l'égard des réseaux de soutien formel (ressources) et informel (personnel). L'adaptation française de la version courte du Questionnaire d'évaluation du soutien social (le *S.S.Q.* 6 de Sarason *et al.*, 1987 ; Rascle *et al.*, 1997) quantifie la taille du réseau de soutien de même que la satisfaction des répondants à l'égard du soutien disponible au sein de ce réseau. Les événements vécus par les répondants dans le cadre de la mesure de stress servent de référence à la description des ressources demandées et reçues dans chaque situation en réponse à un Questionnaire d'évaluation des ressources construit pour la présente étude. Ce questionnaire détermine le besoin ou le désir de recevoir de l'aide, détaille l'aide demandée et reçue de même que la langue dans laquelle ces échanges avec le réseau ont lieu, en lien avec chaque événement vécu au cours des douze derniers mois. Par exemple, à la question « Pouvez-vous me nommer tous les types d'aide ou d'appui que vous avez demandés ou reçus pour faire face à la maladie de votre proche ? », une liste énumérant 70 exemples de ressources spécifiques au contexte albertain avait préalablement été envoyée aux répondants avec la documentation afin de les aider à nommer les ressources.

Registre subjectif

Le Questionnaire d'évaluation des ressources sert également à déterminer les ressources auxquelles les répondants auraient souhaité avoir accès pour faire face aux événements vécus, de même qu'à recueillir les commentaires des répondants sur ce qui leur aurait facilité l'accès aux ressources. Ainsi, deux questions ouvertes recueillent cette information en plus de commentaires généraux. Par exemple, en lien avec la maladie d'un proche, pour chacune des ressources nommées, on demande au répondant : « Si vous reprenez la grille de ressources et que vous repensez à cet événement, pouvez-vous me dire à quelles autres ressources vous auriez souhaité faire appel pour faire face à ce type d'événement ? » et « Pouvez-vous m'expliquer ce qui aurait facilité pour vous l'accès aux ressources que vous venez de nommer ? ».

Pour déterminer les types de services et de programmes auxquels les répondants accordent la priorité, deux autres questionnaires conçus pour la présente étude évaluent l'importance, selon eux, de rendre davantage disponibles en français les neuf services et les cinq programmes. Pour chaque ressource, ils indiquent l'importance qu'ils lui accordent en choisissant une réponse sur une échelle de sept points, allant de 1, « pas du tout important », à 7, « extrêmement important ».

Résultats

Stratégies analytiques

Afin de traiter les événements vécus dans leur ensemble, plutôt que d'examiner chacun individuellement, les événements de vie sont regroupés par catégories thématiques représentant six grands domaines de vie, soit : a) Situation familiale, b) État de santé, c) Justice et criminalité, d) Finances et économie, e) Relations sociales et interculturelles et f) Occupation. La même procédure de synthèse d'information est appliquée aux ressources, regroupées en six catégories, soit : a) Ressources professionnelles en santé, b) Ressources professionnelles « autres », c) Ressources alternatives en santé, d) Ressources communautaires[1], provinciales et fédérales, e) Réseaux personnels de soutien social et f) Ressources matérielles.

L'analyse quantitative des données est effectuée à l'aide du progiciel SPSS (version 13.0). Ces analyses comportent des statistiques descriptives des moyennes observées et de la fréquence des réponses obtenues. Des tests *t* permettent de comparer l'ensemble de l'échantillon avec des normes publiées sur le stress et la qualité du réseau social. Des analyses de variance (ANOVA) servent à comparer les moyennes obtenues entre les sous-groupes sur les variables d'intérêt. À ces tests globaux, s'ajoutent des analyses de contrastes planifiés comparant les groupes de l'Ontario et des Maritimes, du Québec, de l'Europe et de l'Afrique avec la moyenne des autres groupes, le groupe originaire des provinces de l'Ouest étant établi comme groupe de référence. Le seuil de signification est fixé à un niveau alpha de ,05 pour l'ANOVA. Pour les contrastes planifiés, un ajustement Bonferroni est employé. Pour un ensemble de quatre contrastes comparant les sous-groupes à la moyenne des autres groupes, le p d'un contraste doit être inférieur à (,05 / 4) = ,0125 pour être considéré significatif.

L'analyse du registre subjectif des réponses ouvertes et la catégorisation thématique permettent de préciser ou d'approfondir les réponses ainsi que de nuancer le sens en obtenant les commentaires des répondants. Des ANOVAs pour mesures répétées et des analyses de contrastes (décrites précédemment) permettent de comparer les moyennes des préférences à l'égard des différents services et programmes en fonction des cinq sous-groupes culturels. La prise en considération des dimensions objective et subjective des besoins exprimés fait ressortir les manques à combler et l'importance que leur accordent les répondants.

État objectif des besoins

Les analyses traitant du registre objectif indiquent que le stress et la qualité du réseau de soutien social des répondants sont comparables ou supérieurs à ceux des normes établies. Le stress vécu par l'échantillon albertain (M = 246,39, $ÉT$ = 176,80, n = 75) ne diffère pas des normes publiées pour un échantillon américain (M = 278,00, $ÉT$ = 422,00, n = 3399 ; Hobson et Delunas, 2001), t (3472) = 0,65, p = ,52. Par ailleurs, le nombre moyen de personnes constituant le réseau de soutien est significativement plus élevé chez les femmes de l'échantillon albertain (M = 24,65, $ÉT$ = 11,64, n = 54), que la norme française (M = 21,06, $ÉT$ = 8,94, n = 228 ; Rascle *et al.*, 1997), t (280) = 2,49, p = ,01. Pour ce qui est des hommes albertains, le nombre moyen de personnes composant leur réseau de soutien (M = 24,10, $ÉT$ = 11,70, n = 21) ne diffère pas significativement de la norme (M = 23,64, $ÉT$ = 11,95, n = 120), t (139) = 0,16, p = ,87. Les répondants des deux sexes rapportent un niveau de satisfaction par rapport à leur réseau significativement plus élevé que la norme (Femmes-Alberta : M = 33,46, $ÉT$ = 3,60, n = 54 ; Normes : M = 29,58, $ÉT$ = 3,91, n = 228 ; t (280) = 6,65, p < ,0001. Hommes – Alberta : M = 32,95, $ÉT$ = 3,54, n = 21; Normes : M = 30,00, $ÉT$ = 4,04, n = 120 ; t (139) = 3,14, p < ,01).

Les tableaux 1 et 2 présentent les résultats des différents groupes culturels en ce qui concerne le stress et le soutien social. Très peu de différences émergent entre les sous-groupes, mis à part un stress plus élevé et un plus grand nombre d'événements vécus chez les répondants d'origine africaine, comparativement à la moyenne des autres groupes. En raison du très petit nombre de répondants (n = 7) dans ce groupe, la prudence s'impose quant à l'importance à accorder à ces différences.

Une analyse descriptive sommaire des fréquences du soutien social reçu des différents types de ressources, permet de dégager que – sans égard à la langue ou au type d'événement vécu – les ressources les plus utilisées proviennent des réseaux personnels de soutien social. En fonction de la langue, les services sont davantage reçus en anglais, à l'exception des ressources provenant des réseaux personnels de soutien social (davantage en français ou dans les deux langues) et du milieu communautaire, provincial et fédéral (à parts égales en français et en anglais).

État subjectif des besoins

En ce qui concerne l'état subjectif des besoins, les répondants indiquent que les ressources souhaitées pour faire face aux événements de vie se situent surtout au plan des Ressources communautaires, provinciales et fédérales et des Ressources professionnelles en santé (tableau 3). Bien qu'il ne soit pas demandé de spécifier la langue dans laquelle la ressource est souhaitée, les répondants font spontanément mention de ressources en français dans 14,7 % des cas, et de ressources bilingues dans 1,8 % des cas. Enfin, il n'est pas surprenant de constater que les événements de vie issus des catégories les plus fréquentes sont ceux pour lesquels le plus grand nombre de ressources sont souhaitées, soit : « Situation familiale » et « Occupation».

Tableau 1
Comparaison entre les groupes culturels sur le plan du stress

		Échantillon total	Groupes culturels					
			Ouest	Ontario et Maritimes	Québec	Europe	Afrique	F
		(*N* = 75)	(*n* = 21)	(*n* = 11)	(*n* = 25)	(*n* = 11)	(*n* = 7)	(4,70)
Mesures de stress								
Stress	*M*	246,39	199,90	203,72	291,04	167,00	418,14$_a$	3,56*
	ÉT	*176,80*	*119,92*	*113,97*	*204,90*	*101,72*	*239,41*	
Nombre d'événements	*M*	5,52	4,52	4,55	6,52	3,82	9,14$_a$	3,57**
	ÉT	*3,79*	*3,08*	*2,54*	*4,12*	*2,40*	*5,21*	
Types d'événements								
Situation familiale	*M*	2,07	2,14	1,55	2,36	1,18	3,00	1,85
	ÉT	*1,68*	*1,59*	*1,63*	*1,73*	*1,33*	*1,91*	
État de santé	*M*	0,36	0,14	0,45	0,56	0,18	0,43	1,90
	ÉT	*0,58*	*0,36*	*0,52*	*0,77*	*0,40*	*0,53*	
Justice et criminalité	*M*	0,44	0,29	0,64	0,52	0,36	0,43	0,86
	ÉT	*0,58*	*0,46*	*0,67*	*0,65*	*0,50*	*0,53*	
Finances et économie	*M*	0,99	0,71	0,55	1,04	0,91	2,43$_a$	4,83***
	ÉT	*1,07*	*0,78*	*0,69*	*1,10*	*0,70*	*1,62*	
Relations sociales et interculturelles	*M*	0,29	0,19	0,09	0,44	0,09	0,71	2,24
	ÉT	*0,59*	*0,40*	*0,30*	*0,71*	*0,30*	*0,95*	
Occupation	*M*	1,37	1,04	1,27	1,60	1,09	2,14	0,90
	ÉT	*1,55*	*1,43*	*0,90*	*1,78*	*1,04*	*2,34*	

Note : les valeurs avec la notation $_a$ sont celles pour lesquelles les tests de contrastes indiquent que ce groupe est significativement différent de la moyenne des autres groupes ($p < ,0125$, en accord avec un ajustement Bonferroni).

* $p \leq ,05$, ** $p \leq ,01$, *** $p \leq ,001$.

Tableau 2
Comparaison entre les groupes culturels sur le plan du soutien social

		Échantillon total	Groupes culturels					
			Ouest	Ontario et Maritimes	Québec	Europe	Afrique	F
		($N = 75$)	($n = 21$)	($n = 11$)	($n = 25$)	($n = 11$)	($n = 7$)	(4,70)
Mesures de soutien social								
S.S.Q. – Nombre	*M*	24,49	30,00	25,09	21,88	22,09	20,14	1,98
	ÉT	*11,58*	*12,38*	*9,77*	*10,05*	*11,04*	*14,46*	
S.S.Q. – Satisfaction	*M*	33,32	34,10	35,27	32,36	32,36	32,86	1,83
	ÉT	*3,57*	*2,59*	*1,42*	*4,25*	*2,77*	*5,64*	

Note : résultats non significatifs à $p \leq ,05$.

Tableau 3
Occurrences de ressources souhaitées en fonction du type de ressources et du domaine de vie

Types de ressources	Occurrences
Ressources communautaires, provinciales et fédérales	81
Ressources professionnelles en santé	73
Ressources professionnelles «autres»	60
Réseau personnel de soutien social	42
Ressources alternatives en santé	13
Ressources matérielles	9
TOTAL :	**278**
Grands domaines de vie	**Occurrences**
Situation familiale	124
Occupation	61
Finances et économie	41
État de santé	27
Relations sociales et interculturelles	14
Justice et criminalité	11
TOTAL :	**278**

Note : le total des occurrences peut excéder le nombre de participants, car chacun des répondants pouvait nommer plus d'un événement d'un même domaine de vie et plus d'une ressource pour chacun des événements vécus.

Dans la catégorie « Situation familiale », les ressources souhaitées relèvent le plus souvent des *professionnels de la santé, du milieu communautaire, provincial et fédéral* ainsi que du *réseau personnel de soutien social.* Les besoins prioritaires liés aux événements vécus sont ceux requérant des soins de santé physique et mentale (psychologues, travailleurs sociaux ou médecins) ainsi que des services communautaires en français pour soutenir la famille dans différentes sphères de la vie suscitant du stress (ressources matérielles et soutien à la famille, services dispensés par les écoles, la paroisse ou le Réseau santé albertain). L'accès aux membres de la famille et la qualité du réseau personnel de soutien ne semblent pas répondre suffisamment aux besoins des répondants.

Dans la catégorie « Occupation », les ressources souhaitées figurent le plus souvent parmi les *ressources communautaires, provinciales et fédérales* ainsi que les *ressources professionnelles « autres »* que la santé. Les événements liés à l'occupation touchent plusieurs sphères de la vie, et ces expériences ne semblent pas comporter les ressources nécessaires pour faciliter les changements auxquels les répondants étaient confrontés. Les répondants auraient souhaité avoir davantage accès à des centres de ressources ou organismes de soutien à la famille, de même qu'à des conseillers en orientation/carrière, à des associations professionnelles ou à des cours de formation.

Limites à l'accès

Les répondants font part des difficultés rencontrées dans leur recherche de ressources pour faire face aux événements stressants et indiquent ce qui en aurait facilité l'accès. Sept thèmes principaux ressortent de la catégorisation des commentaires rendant compte des limites à l'accès aux services. Au premier plan, les répondants affirment qu'une meilleure *information* aurait facilité l'accès aux ressources lors de l'événement vécu. Ils auraient aimé connaître l'existence d'un service ou d'une ressource et avoir accès à du matériel informatif à cet égard. Au deuxième rang des difficultés d'accès, vient le thème des *services* de façon générale. Les répondants déplorent particulièrement le manque de disponibilité de ressources professionnelles en santé et de visibilité des services existants. Le manque de proximité des services tout comme les longues listes d'attente limitent également l'accès aux ressources.

Le thème de l'obstacle de la *langue* revient au troisième rang des limites évoquées par les répondants. Ceux-ci mentionnent, par exemple, qu'un contexte francophone au travail les aide à traverser certains événements. Toutefois, dans la majorité des cas, ils n'ont pas accès à des ressources en français par manque de disponibilité des services ou, devant leur propre bilinguisme, par manque d'effort de la part des dispensateurs pour leur assurer un service en français. Même si les répondants peuvent s'exprimer en anglais, ils déclarent qu'il aurait été plus facile pour eux de pouvoir communiquer en français pour diverses raisons. L'une des difficultés invoquées est la lourde tâche de traduction de l'anglais au français pour une personne unilingue. C'est le cas, notamment, pour certaines familles exogames qui envoient leurs enfants à l'école française. Les communications se faisant généralement en français, l'un des conjoints doit alors, soit assumer entièrement les tâches reliées à l'école, soit assurer l'interprétation pour l'autre conjoint. Des besoins de traduction se rencontrent également lors de visites médicales pour un membre de la famille qui ne parle pas suffisamment anglais. Le manque de services de garderie offerts en français constitue un autre obstacle pour ces répondants.

Au quatrième rang des limites à l'accès figurent les *caractéristiques personnelles* relevant des répondants. Pour plusieurs événements vécus, ces derniers reconnaissent que le manque de temps, l'absence de volonté ou de motivation les ont empêchés de demander de l'aide. Il semble donc y avoir une certaine lassitude devant les efforts à faire pour demander des services. Un cinquième thème amené par les répondants touche aux questions de *compétence culturelle* et d'*ouverture interculturelle*. Il s'agit, par exemple, de difficultés de communication au travail ou dans les réseaux communautaires, ou encore de sentiments d'incompréhension par rapport aux attentes différentes d'une culture à l'autre. Ces limites sont exprimées au plan des ressources professionnelles en santé et en finances ainsi qu'en ce qui a trait aux services d'interprète. Viennent ensuite des commentaires d'ordre général en rapport avec le manque de *soutien social personnel* ou un soutien qui serait facilité par une plus grande proximité de la famille. L'obstacle des *ressources matérielles et financières* est souligné en dernier lieu à l'égard d'événements reliés à des situations touchant surtout la santé ou la famille, tel le manque d'argent pour se rendre au chevet d'une personne malade.

Il semble donc qu'une meilleure information à l'égard des services, une meilleure visibilité des services en général, et plus particulièrement des services ou des ressources existantes en français, encourageraient l'utilisation des ressources déjà en place.

Services et programmes

Des ANOVAs pour mesures répétées indiquent que les répondants accordent une importance significativement différente aux services (F (5,93, 408,89) = 7,77, p < ,0001), de même qu'aux programmes (F (3,03, 209,33) = 11,38, p = ,0001) auxquels ils souhaiteraient donner la priorité. Ces analyses ne révèlent pas de différences notables entre les sous-groupes par rapport à leurs besoins (c'est-à-dire les différences entre les sous-groupes et les interactions d'un sous-groupe par service ou par programme n'atteignent pas le seuil de signification de p < ,05). La priorité à accorder aux différents services et programmes selon les préférences des répondants est présentée au tableau 4. Comparés à la moyenne des autres services, les contrastes réalisés indiquent que l'ensemble des répondants perçoit comme significativement plus important d'avoir accès à « des professionnels de la santé psychologique », F (1, 69) = 30,23, p = ,0001, et à « des ressources matérielles », F (1, 69) = 11,84, p = ,001. Quant à l'importance accordée à chacun des programmes comparés à la moyenne des autres programmes, les analyses de contrastes suggèrent que les programmes d'aide définis comme prioritaires sont ceux relatifs aux « problèmes reliés à la santé », F (1, 69) = 28,40, p = ,0001.

Discussion

L'étude dresse principalement un portrait global de l'expérience objective et subjective de stress et de soutien vécue par un échantillon de représentants de cinq sous-groupes culturels composant la minorité francophone en Alberta. L'analyse de la situation objective indique, dans un premier temps, que le stress vécu par les participants se situe à un niveau normatif et même que leur niveau de soutien social tout comme leur degré de satisfaction sont équivalents ou plus élevés que les normes établies. Cependant, l'analyse subséquente de l'état subjectif de leurs besoins mis en lien avec les événements vécus et le soutien qu'ils auraient souhaité recevoir donne à penser que, malgré l'apparence du peu de besoins, des lacunes existent à plusieurs égards et que les besoins sont souvent liés au statut minoritaire des répondants.

Tableau 4
Préférences des répondants dans les services et programmes jugés prioritaires

Services	*M* (n = 74)	*ÉT*
Professionnels de la santé psychologique	$6{,}23_a$	1,14
Ressources matérielles	$5{,}85_a$	1,34
Lieux de rencontre informelle	5,80	1,26
Groupes de soutien	5,72	1,33
Service de référence	5,69	1,54
Lignes téléphoniques d'information	5,45	1,44
Lignes téléphoniques d'écoute	5,38	1,78
Personnes associées aux organisations religieuses	5,04	2,04
Interprète pour accompagnement ou renseignements téléphoniques	$4{,}55_b$	2,25
Programmes	*M* (n = 74)	*ÉT*
Problèmes reliés à la santé	$6{,}46_a$	0,98
Accompagnement des mourants et deuil	6,42	0,84
Problèmes familiaux	6,20	1,23
Justice et criminalité	6,14	1,35
Finances et économie	$5{,}62_b$	1,38

Note : les valeurs avec la notation $_a$ sont celles pour lesquelles les tests de contrastes indiquent que ce service ou programme est jugé significativement plus important que la moyenne des autres services ou programmes. Les valeurs avec la notation $_b$ sont celles pour lesquelles les tests de contrastes indiquent une importance moindre de ce service ou programme comparé à la moyenne des autres. Le seuil de signification pour les contrastes est fixé à $p < ,00625$ pour les services et $p < ,0125$ pour les programmes, en accord avec un ajustement Bonferroni.

L'étude révèle donc un écart entre l'image objective offerte par l'usage de mesures standardisées et les perceptions subjectives des répondants. Ces résultats réaffirment la position de Chun, Moos et Cronkite (2006) à l'effet que les mesures objectives de l'expérience de stress ne prennent pas en compte le contexte culturel et présentent une image biaisée de la situation en négligeant le cadre culturel.

Dans l'identification des facteurs limitant l'accessibilité aux ressources, les besoins mentionnés par les répondants font écho à ceux qui sont soulignés dans l'étude de la Fédération des communautés francophones et acadienne du Canada (FCFA). On y affirme, en effet, que l'accessibilité à des services de santé dans sa langue serait de 3 à 7 fois moins élevée pour les membres d'une minorité francophone que pour leurs concitoyens anglophones (Fédération des communautés francophones et acadienne du Canada, 2001). En Alberta, dans le domaine des soins de santé primaires, le Réseau santé albertain (2007) rapporte que 82 % des participants d'une enquête font état de difficultés causées par l'absence de services en français.

Dans la présente étude, l'obstacle de la langue vient au troisième rang des limites à l'accès aux ressources, après le manque d'information et l'absence de disponibilité des services. Aux yeux des répondants, le soutien offert par divers intervenants dans leur milieu comporte certaines lacunes par rapport à la langue. À titre d'exemple, ces derniers soulignent que dans les services hospitaliers on fait peu d'effort pour offrir un service d'interprète ou pour diriger les patients vers du personnel parlant français. De fait, le bilinguisme des francophones vivant en Alberta semble tenu pour acquis et susciter une incompréhension de la part de membres du groupe majoritaire anglophone, lesquels ne voient pas toujours l'importance pour des francophones bilingues de s'exprimer dans leur langue. Les répondants ajustent leur comportement en fonction des services et des ressources disponibles dans une langue ou l'autre, sans nécessairement avoir un choix réel face à la langue de service. Leurs commentaires laissent toutefois percer le malaise ressenti dans de telles situations. Les difficultés d'ordre culturel vécues par les répondants dans leurs transactions de soutien et leur souhait d'avoir davantage de services en français viennent étayer les hypothèses de Pedersen (2006) et de Chun, Moos et Cronkite (2006) à l'égard de la contribution du contexte culturel aux expériences de stress et d'adaptation.

Dans l'échange interculturel précédent, le manque de reconnaissance des besoins de soutien propres à la culture peut non seulement réduire l'efficacité du soutien offert, mais potentiellement accroître le stress vécu. Il ressort de l'analyse des résultats de la présente étude que les différences culturelles entre la minorité francophone et la majorité anglophone semblent exercer une pression dans les transactions quotidiennes entre ces groupes et influent sur la perception des répondants à l'égard de la qualité des services. Il se peut alors qu'un soutien inexistant ou inadéquat en raison des différences culturelles constitue un facteur de stress supplémentaire pour les répondants. Pedersen (2006) considère que le maintien de l'intégrité personnelle et de l'estime de soi des membres de minorités culturelles est de première importance pour réduire les effets négatifs du stress acculturatif. Dispenser des services en faisant en sorte que les gens sentent une reconnaissance de leur identité pourrait faciliter les échanges avec le groupe majoritaire et réduire leur expérience de stress. Malgré l'hétérogénéité culturelle au sein du groupe de francophones sondés, les différents sous-groupes expriment des besoins à peu près semblables, suggérant que l'ensemble des francophones ressentent ces mêmes besoins, sans égard au fait qu'ils aient immigré en Alberta, qu'ils proviennent d'une autre région canadienne ou qu'ils aient vécu dans cette province toute leur vie.

La prise en considération du stress acculturatif dans le vécu des francophones minoritaires apporte une piste significative dans la compréhension de l'expérience subjective des échanges de soutien pour les membres de cette communauté. En raison des enjeux liés à l'adaptation de cette minorité au groupe majoritaire, l'apport d'une approche comme celle du processus des stratégies identitaires telle que décrite par Camilleri et ses collaborateurs (2002) permettrait d'approfondir cette compréhension de façon plus dynamique que celle de Berry. Dans la présente étude, par exemple, dans des moments de vulnérabilité, les répondants se voient contraints de faire des choix afin de recevoir des services. Au constat des efforts déployés pour répondre à leurs besoins, ils cernent alors les lacunes au plan des services offerts. De plus, leurs témoignages illustrent les difficultés supplémentaires associées à la langue ou à l'incompréhension interculturelle. En faisant des choix prédominants autour de la coexistence des services dans une langue plutôt qu'une autre, les répondants pourraient révéler, en fait, leur préférence par les différentes stratégies employées pour affirmer ou non leur identité minoritaire, c'est-à-dire leurs stratégies identitaires. Dans les termes de Joseph Kastersztein (2002), ajuster son comportement ou ses opinions aux attentes du groupe dominant sans nécessairement en accepter psychologiquement les fondements correspondrait à une stratégie de conformisation. La mise en place d'études permettant de cerner les stratégies identitaires de ces populations au long cours pourrait conséquemment constituer un champ de recherche prometteur pour mieux comprendre et soutenir les membres de groupes minoritaires.

Bien que préliminaire, le portrait de la situation des francophones de l'Alberta dressé dans la présente étude permet de dégager certaines pistes d'action ou d'intervention visant à mieux répondre aux besoins exprimés par les répondants. Entre autres, il serait souhaitable de sensibiliser davantage les intervenants à la vulnérabilité des gens en situation de stress, aux enjeux identitaires dans la prestation de services, de même qu'à l'importance d'intervenir dans le respect des différences interculturelles, incluant la langue. Il serait opportun également de s'interroger sur la façon de dispenser les services afin de maximiser les ressources et d'être plus à l'écoute des besoins, particulièrement en ce qui a trait aux ressources communautaires, provinciales et fédérales ainsi qu'aux ressources professionnelles en santé. Un soutien plus concret à l'égard des événements stressants les plus fréquemment vécus dans le domaine familial et de l'occupation pourrait également être offert par des activités de prévention. Les ressources disponibles en français pourraient être rendues plus visibles et accessibles afin de rejoindre le plus de gens possible. Finalement, des démarches entreprises devraient accorder la priorité à l'accès aux professionnels de la santé psychologique, aux ressources matérielles ainsi qu'à des programmes d'aide visant les problèmes reliés à la santé.

Limites de l'étude

Certaines limites de cette étude doivent cependant être signalées et incitent à la prudence quant à l'interprétation des résultats. L'échantillon, assez restreint, est en outre constitué de volontaires plus scolarisés et mieux nantis que la moyenne. Les personnes qui sont peut-être plus à risque y sont potentiellement sous-représentées. De plus, le petit nombre de répondants d'origine africaine limite les conclusions qui peuvent être tirées à l'égard du stress vécu par ce sous-groupe et de ses besoins de soutien plus particuliers. En ce qui concerne le traitement de l'information quantitative, le petit nombre de répondants au sein de chacun des sous-groupes a parfois empêché l'usage de tests statistiques pour analyser les données. Un tel échantillon diversifié présente cependant l'avantage d'obtenir des commentaires de la part de répondants issus de différents sous-groupes composant la francophonie albertaine, ce qui constitue un atout particulier de la présente étude. Finalement, dans le traitement des réponses aux questions ouvertes, seuls les deux grands domaines d'événements de vie considérés comme prioritaires ont été analysés dans le détail. Un examen plus approfondi des événements vécus dans les autres domaines de vie permettrait de rendre compte de la situation dans son ensemble.

Conclusion

En conclusion, cette étude a permis de donner la parole à des francophones de l'Alberta qui se sont prêtés à l'exercice, en faisant part de leurs commentaires et de leurs besoins par rapport à leur vécu en tant que minorité. Elle a permis de recueillir des données probantes sur lesquelles appuyer la planification et le développement de programmes et de services à placer en priorité selon les problèmes les plus fréquemment vécus et reconnus comme sources de détresse par les répondants.

Toutefois, pour mieux cibler les besoins des francophones en situation minoritaire, des recherches additionnelles s'imposent. Ces dernières pourraient s'intéresser davantage à l'influence de l'acculturation et aux répercussions de l'expérience de soutien sur l'identité. Il serait également intéressant de faire une étude spécifique pour approfondir les différences constatées par rapport aux personnes d'origine africaine et mettre en lumière leurs besoins, car ils se distinguent des autres groupes de comparaison dans la présente étude. Avec la croissance actuelle de l'Alberta, l'élargissement de l'échantillon de répondants en provenance d'autres origines, asiatique par exemple, pourrait renforcer la compréhension des différences culturelles dans cette communauté. Finalement, l'ajout de la perspective et du positionnement du milieu d'accueil à l'égard des francophones permettrait de mieux comprendre les enjeux identitaires auxquels ces derniers sont confrontés, de cibler les interventions qui aideront à faciliter les échanges entre les groupes et de mieux répondre aux besoins de soutien.

La richesse des commentaires des répondants a permis de nuancer les résultats d'analyse du registre objectif de cette étude, qui laissaient de prime abord entrevoir une situation plutôt satisfaisante. L'analyse de la situation subjective des répondants fait ressortir le besoin de mieux comprendre les phénomènes complexes reliés au stress acculturatif vécu par la minorité, de même que les stratégies identitaires auxquelles elle a recours pour faire face au stress. Cette compréhension est d'autant plus importante qu'elle peut aider à mettre en place un environnement favorisant une meilleure intégration de la minorité francophone dans cette province. Cette étude met en relief l'importance pour les fournisseurs de services de concevoir des services culturellement adaptés aux besoins de cette communauté. Pour cet échantillon de répondants, ces besoins passeraient par l'affirmation de leur identité francophone.

Note des auteures

Un grand merci à l'Institut Guy-Lacombe de la famille et au Réseau santé albertain pour leur collaboration à ce projet, de même qu'à tous les répondants pour leur générosité. Merci également à Séverine Garnier pour son aide dans la réalisation des entrevues et à Manuel Palomino pour sa contribution à la saisie et à l'analyse des données.

NOTE

1. Les ressources communautaires concernent surtout des organismes et des associations francophones ou multiculturelles de l'Alberta.

BIBLIOGRAPHIE

ASHTON, Carol M., *et al.* (2003). « Racial and Ethnic Disparities in the Use of Health Services: Bias, Preferences, or Poor Communication ? », *Journal of General Internal Medicine*, vol. 18, n° 2 (février), p. 146-152.

BEISER, Morton (2005). « The Health of Immigrants and Refugees in Canada », *Canadian Journal of Public Health*, vol. 96, supplément 2 (mars-avril), p. 2-44.

BERRY, John W. (1997). « Immigration, Acculturation, and Adaptation », *Applied Psychology: An International Review*, vol. 46, n° 1 (janvier), p. 5-68.

BERRY, John W. (2005). « Acculturation: Living Successfully in Two Cultures », *International Journal of Intercultural Relations*, vol. 29, n° 6 (novembre), p. 697-712.

BERRY, John W. (2006). « Acculturative Stress », dans Paul T. P. Wong et Lilian C. J. Wong (dir.), *Handbook of Multicultural Perspectives on Stress and Coping*, New York, Springer, p. 287-298.

BERRY, John W., *et al.* (1989). « Acculturation Attitudes in Plural Societies », *Applied Psychology: An International Review*, vol. 38, n° 2 (avril), p. 185-206.

BOUCHER, Kathleen, et Réjeanne LAPRISE (2001). « Le soutien social selon une perspective communautaire », dans Francine Dufort et Jérôme Guay (dir.), *Agir au cœur des communautés : la psychologie communautaire et le changement social*, Québec, Les Presses de l'Université Laval, p. 117-156.

CAMILLERI, Carmel, *et al.* (2002). *Stratégies identitaires*, 4e éd., Paris, Presses universitaires de France.

CHUN, Chi-Ah, Rudolf H. MOOS et Ruth C. CRONKITE (2006). « Culture: A Fundamental Context for the Stress and Coping Paradigm », dans Paul T. P. Wong et Lilian C. J. Wong (dir.), *Handbook of Multicultural Perspectives on Stress and Coping*, New York, Springer, p. 29-52.

COMITÉ CONSULTATIF DES COMMUNAUTÉS FRANCOPHONES EN SITUATION MINORITAIRE (2001). *Rapport au ministre fédéral de la Santé*, Ottawa, Ministre des Travaux publics et des Services gouvernementaux.

FÉDÉRATION DES COMMUNAUTÉS FRANCOPHONES ET ACADIENNE DU CANADA (2001). *Pour un meilleur accès à des services de santé en français*, Ottawa, La Fédération.

FRONTEAU, Joël (2000). « Le processus migratoire : la traversée du miroir », dans Gisèle Legault (dir.), *L'intervention interculturelle*, Montréal, Gaëtan Morin, p. 1-40.

GOTTLIEB, Benjamin H. (1994). « Social support », dans Ann L. Weber et John H. Harvey (dir.), *Perspectives on Close Relationships*, Boston, Allyn and Bacon, p. 307-324.

HOBSTON, Charles J., *et al.* (1998). « Stressful Life Events: A Revision and Update of the Social Readjustment Rating Scale », *International Journal of Stress Management*, vol. 5, n° 1 (janvier), p. 1-23.

HOBSON, Charles J., et Linda DELUNAS (2001). « National Norms and Life-Event Frequencies for the Revised Social Readjustment Rating Scale », *International Journal of Stress Management*, vol. 8, n° 4 (octobre), p. 299-314.

HOLMES, Thomas H., et Richard H. RAHE (1967). « The Social Readjustment Rating Scale », *Journal of Psychosomatic Research*, vol. 11, n° 2 (août), p. 213-218.

KASTERSZTEIN, Joseph (2002). « Les stratégies identitaires des acteurs sociaux : approche dynamique des finalités », dans Carmel Camilleri *et al.*, *Stratégies identitaires*, 4e éd., Paris, Presses universitaires de France, p. 27-41.

M'BALA, José (2005). *État de la recherche sur la santé des communautés francophones en situation minoritaire : bibliographie thématique*, avec la collaboration de Louise Bouchard, Christine Dallaire et Anne Gilbert, Ottawa, Consortium national de formation en santé.

PADILLA, Amado M., et Noah E. BORRERO (2006). « The Effects of Acculturative Stress on the Hispanic Family », dans Paul T. P. Wong et Lilian C. J. Wong (dir.), *Handbook of Multicultural Perspectives on Stress and Coping*, New York, Springer, p. 299-317.

PEDERSEN, Paul B. (2006). « Knowledge Gaps About Stress and Coping in a Multicultural Context », dans Paul T. P. Wong et Lilian C. J. Wong (dir.), *Handbook of Multicultural Perspectives on Stress and Coping*, New York, Springer, p. 579-595.

RAHE, Richard H., Jack L. MAHAN et Ransom J. ARTHUR (1970). « Prediction of Near-Future Health Change from Subjects' Preceding Life Changes », *Journal of Psychosomatic Research*, vol. 14, n° 4 (décembre), p. 401-406.

RASCLE, Nicole, *et al.* (1997). « Soutien social et santé : adaptation française du questionnaire de soutien social de Sarason, le S.S.Q. », *Cahiers internationaux de psychologie sociale*, n° 33 (mars), p. 35-51.

RÉSEAU SANTÉ ALBERTAIN (2007). *Soins de santé primaires en français en Alberta : l'affaire de tout le monde*, Edmonton, Réseau santé albertain.

SARASON, Irwin G., *et al.* (1987). « A Brief Measure of Social Support: Practical and Theoretical Implications », *Journal of Social and Personal Relationships*, vol. 4, n° 4 (novembre), p. 497-510.

THOITS, Peggy A. (1995). « Stress, Coping, and Social Support Processes: Where are we? What Next?», *Journal of Health and Social Behaviour*, vol. 35 (numéro supplémentaire), p. 53-79.

Questions de temps : regards sur un recueil de poèmes de Gilles Lacombe

Robert YERGEAU
Université d'Ottawa

De la distance traversée à la distance habitée

Je ne peux commencer cette analyse sans faire miens les propos de J.B. Priestley insistant sur « l'effrayante complexité du problème du temps et la difficulté qu'il y a à l'aborder sur les plans philosophique et métaphysique. C'est comme si l'énigme qu'on achevait de résoudre ne faisait qu'en poser d'autres plus troublantes ; il semble que chaque effort pour sortir de l'ornière du sens commun nous précipite aussitôt dans une série de dédales, de marécages et d'impasses » (cité par Faye, 1996 : 18). Au XXe siècle, *Être et Temps* de Martin Heidegger et les trois tomes de *Temps et récit* de Paul Ricœur donnent la mesure de cette « effrayante complexité ». Les travaux de ce dernier me sont plus intelligibles sinon plus familiers, car ils portent sur la narrativité. Interrogé sur son triptyque, Ricœur précisait que « le roman [lui] apparaît donc comme étant essentiellement le grand laboratoire dans lequel l'homme expérimente des rapports possibles avec le temps » (Oliveira, 1990 : 29). Au premier rang de ces expérimentateurs s'impose Proust à qui l'analyste a consacré une étude qui clôt le tome II. Pour Ricœur, « entre le temps perdu de l'apprentissage des signes et la contemplation de l'extra-temporel, une distance demeure. Mais ce sera une distance *traversée* » (Ricœur, 1984 : 223, l'italique est de l'auteur).

De la distance traversée à la distance habitée (selon le titre de l'essai de François Paré), on passe de la temporalité proustienne à la spatialité, qui a marqué un grand nombre d'œuvres en Ontario français depuis le début des années 1970. Citons notamment, en nous limitant de manière arbitraire à certains titres, *Moé j'viens du Nord, 'stie* et *Lavalléville* (1978) d'André Paiement ; *L'espace qui reste* (1979) et *Sudbury* (1985) de Patrice Desbiens ; *Les murs de nos villages* (1980), *Gens d'ici* (1981) et *Le chien* (1988) de Jean Marc Dalpé ; *Hawkesbury blues* (1982) de Brigitte Haentjens et Jean Marc Dalpé ; *Abris nocturnes* (1986) et *Grand ciel bleu par ici* (1997) de Robert Dickson ; *Nouvelles de la capitale* (1987) et *Visions de Jude* (1990 ; retitré de manière significative *La Côte de sable* lors de sa réédition en 2000) de Daniel Poliquin ; *L'espace éclaté* (1988) de Pierre Albert ; *French Town* (1994) de Michel Ouellette ; *L'espace entre* (1996) de Margaret Michèle Cook ; *Ainsi parle la Tour CN* (1999) d'Hédi Bouraoui ; et *Toronto, je t'aime* (2000) de Didier Leclair[1]. L'ancrage réel (où sont représentés les trois pôles de la francophonie ontarienne : le Nord, Ottawa et Toronto) et symbolique (l'espace qui « reste », « éclaté » et « entre ») de ces romans, nouvelles, pièces de théâtre et recueils de poèmes appelle à l'évidence une mise en valeur de l'espace[2]. Cependant, leur relecture me convainc que le déploiement temporel y est aussi marquant, sinon même, dans certains cas, décisif (je pense, particulièrement, au *Chien* de Dalpé où Jay revient au village natal après une errance de sept ans aux États-Unis). Or, les œuvres majeures de cette énumération, richement étudiées selon l'axe spatial, ne l'ont jamais été, sauf erreur, uniquement en fonction de la temporalité.

Si, selon Lucie Hotte, « [c]'est presque devenu un poncif de parler d'espace en relation avec les littératures minoritaires » (2005 : 41), il est plus étonnant de constater que même les essayistes l'ont métaphorisé. Dans l'*incipit* de son « Avant-propos » à la réédition de *De Québécois à Ontarois*, le regretté sociologue Roger Bernard écrivait : « En parcourant l'Ontario, nous pouvons apercevoir des îlots de vie française, quelques centaines de milliers d'habitants éparpillés sur un vaste territoire, des villes, des villages et des quartiers égrenés çà et là dans l'Est, le Nord et le Sud, perdus dans une immensité qui ressemble de plus en plus à une dislocation des effectifs et à une dispersion des forces » (1996 : 9). Pour sa part, François Paré, dans sa préface aux *Littératures de l'exiguïté,* décrivait un paysage des Pays-Bas : « Cette terre paradoxale, limoneuse et pourtant merveilleusement résistante, je me dis aujourd'hui qu'elle doit servir de métaphore vivante, destinée à éclairer ce que je tenterai de cerner ici, à me rappeler à l'ordre de ce qui résiste au savoir, de ce qui est en fin de compte le savoir de la résistance » (1992 : 5). Est-ce par mimétisme identitaire avec les écrivains franco-ontariens que l'espace a trouvé une telle métaphorisation chez ces deux universitaires ? En outre, n'eussent-ils pas dû mettre en valeur également la figure polymorphe du temps, la « dislocation des effectifs », la « dispersion des forces » et « le savoir de la résistance » s'inscrivant aussi dans la durée ?

Le temps polymorphe

Mikhaïl Bakhtine a proposé le concept de chronotope qui « exprime l'indissolubilité de l'espace et du temps » (1978 : 237). À l'aune de cette indissolubilité, l'on pourrait croire à leur égalité herméneutique. Or, Henri Mitterand n'est pas de cet avis, pour qui

> la connexion n'est pas exactement réciproque, mais elle implique une subordination de l'espace au temps : chronotope, temps-espace et non pas espace-temps (qui est la formule d'Einstein). La théorie du chronotope est une théorie du temps romanesque plus que de l'espace romanesque. Il faut bien prendre garde à cela, et ne pas se laisser tromper par l'adjectif *spatio-temporel* qu'on trouve aussi dans les traductions françaises de Bakhtine et qui renverse l'ordre de subordination de ces deux facteurs. [...] [C]'est le temps qui dispose de l'activité créatrice. C'est le temps qui dynamise et dialectise l'espace [...] (1990 : 91).

En revanche, Tara Collington soutient que, « malgré la tendance de Bakhtine à accorder plus d'importance au temps qu'à l'espace, l'indissolubilité des deux s'exprime dans la plupart des images dont il se sert » (2006 : 39). Que le temps domine dans la relation chronotopique (domination pour laquelle Henri Mitterand propose le néologisme « *chrono-spatial* » (1990 : 91, l'italique est de l'auteur) ou que « le temps s'exprime donc à travers l'espace » (Collington, 2006 : 39), il n'en demeure pas moins que les deux axes sont consubstantiels. Dès lors, la question se pose : pourquoi les critiques qui se sont intéressés à la spatialité dans la littérature franco-ontarienne ont-ils ignoré la temporalité ?

En 2003, François Paré a réuni quatorze études sous le titre *La distance habitée*. Dès les premières phrases de son « Avant-propos », l'essayiste notait que « [l]es routes sont restées dans leurs [les hommes et les femmes "venus d'ailleurs"] imaginaires singuliers de fins amalgames sur lesquels s'exécutent aujourd'hui le temps et l'espace. Ainsi sont nées les cultures de l'itinérance » (2003 : 9). Quelques pages plus loin, il soutenait que son « livre est lui-même porté par le décentrement des cultures, il offre ses propres sentiers migratoires par lesquels chacun parviendra sans doute à saisir son éloignement stratégique, sa traversée du temps et de l'espace » (p. 13). De plus, dès le premier texte du recueil, « Approche de l'étranger », il affirmait que « les cultures minoritaires sont souvent ravagées par leur relation problématique avec le passé » (p. 18). Voilà pour le *terminus a quo*. Au *terminus ad quem*, alors même que François Paré réitérait que « [n]ous ne cessons jamais vraiment de produire l'illusoire présence du passé qui nous constitue en tant que sujet et matière du présent », il rappelait que « ce livre qui se termine maintenant cherchait à traduire l'espace, non pas le temps » (p. 250). Dans sa plate-forme dialectique que construisent « les concepts opératoires, fondamentaux pour [lui] maintenant, de conscience diasporale et d'itinérance » (p. 15), est-il possible de penser l'espace sans le temps ? Outre la dernière citation de Tara Collington, songeons à la réflexion de Proust, dans *Contre Sainte-Beuve*, à propos du château de Guermantes : « le temps y a pris la forme de l'espace » ([1954] 1987 : 279). Si, pour François Paré, « [l]a périphérie [...] est le lieu d'une dislocation de l'espace » (2003 : 157), ne devrait-elle pas être également le lieu d'un éclatement temporel ? De même, si « [c]ette distance habitée (celle d'un sujet pleinement investi de la différence) est toujours fondamentalement créole, transformatrice, aliénante, désobligeante, puisqu'elle est à la fois le signe de l'éloignement et du rapprochement, de l'abandon et de la solidarité » (p. 19), ce signe ne devrait-il pas être obligatoirement accompagné, investi de sa temporalité paradoxale ? Et que si ce n'est pas le cas, la chronotopie diasporale se trouve amputée d'un de ses axes signifiants[3] ?

Le centre aveugle que semble représenter le temps dans *La distance habitée* est symptomatique de la « désolidarité » « chrono-spatiale » dans les analyses littéraires franco-ontariennes, entendu que, selon la définition de Joëlle Gardes-Tamine et de Marie-Claude Hubert, « [l]e chronotope ou "temps-espace" est une catégorie de forme et de contenu basée sur la solidarité du temps et de l'espace » (2002 : 35). Cette « désolidarité » est d'autant plus étonnante que « [l]'émergence d'une littérature est liée au développement d'un nouveau chronotope, d'une relation espace/temps originale. Cette matrice spatio-temporelle qui conditionne le discours traduit une vision du monde particulière[4] ». Est-ce à dire que l'émergence de la littérature franco-ontarienne, depuis les années 1970, reposerait sur la seule matrice spatiale ? Qui plus est, sur une spatialité fort problématique, si j'en juge par les réflexions de François Paré dans *Les littératures de l'exiguïté*. Ainsi, oppose-t-il « des œuvres littéraires qui font partie intégrante de micro-noyaux de culture nationale, par leur langue, par leur interprétation de l'histoire, par leur espace obsédant » (ajoutant même : « ces gens-là croient au pays, y soumettent toute leur expérience de la littérature ! » [1992 : 70]) aux « grandes cultures [...] dépourvues d'espace, c'est-à-dire qu'elles s'instituent à même des mécanismes de "déspatialisation". Elles ont depuis longtemps fui les terres sacrées » (p. 70). Il y aurait beaucoup à dire sur cette vision idéologique des choses, notamment que la croyance des écrivains à un pays ne se mesure pas à leur obsession de l'espace, ni que la « déspatialisation » signifie nécessairement la fuite des « terres sacrées » (image, au demeurant, dont la connotation religieuse entraîne la spatialisation sur un terrain idéologique glissant), ni que les « grandes cultures » aient eu fatalement à sacrifier leur spatialisation sur l'autel de l'institutionnalisation, ni, enfin, que la pensée européenne – par exemple, de Kant à Merleau-Ponty – ait conceptualisé l'espace dans des maïeutiques ostracisantes.

Au rapport conflictuel d'« espaces spécifiques » à l'intérieur d'espaces unitaires – afin « que la collectivité nationale soit issue de partout et de nulle part » (p. 70) – s'opposerait le rôle imparti au temps comme valeur aseptisante et unificatrice : « La Renaissance a voulu que la Littérature gravite autour du Temps (qu'elle soit plutôt pour l'écrivain une assurance d'éternité). L'espace (et la lutte pour l'espace-pays) resterait une manifestation de la province. L'histoire littéraire aurait alors pour but ultime d'insérer l'espace (le lieu d'écriture, la ville, le pays réel, les lieux de la narration, le pays mental) dans une problématique du temps (de l'espace du temps) » (p. 71). Que la « Littérature », d'une part, soit une assurance – totalement aléatoire – d'éternité pour l'écrivain ne l'inscrit pas nécessairement dans une dynamique oppositionnelle avec l'espace. D'autre part, et surtout, l'énumération à l'appui de la définition de l'espace crée un certain flottement sémantique. Par exemple, de quel « lieu d'écriture » s'agit-il ? Du lieu d'où écrit l'écrivain qui témoignerait de son espace spécifique ? Il en est de même pour la ville : celle où habite l'écrivain ou la ville à propos de laquelle il écrit ? L'ambivalence ne persisterait peut-être pas, si ce n'était que François Paré poursuit ainsi : « Ce qui compterait, ce ne serait plus que Paul Valéry soit né à Sète ou Joachim du Bellay à Angers, mais que ces deux écrivains puissent s'insérer dans un axe temporel qui donne à leurs écrits une valeur dans l'évolution de la pensée dite universelle » (p. 71). Pourquoi établir un tel rapport antagoniste entre leur lieu de naissance supposément occulté et l'inscription de leurs œuvres à l'intérieur du paradigme temporel ? L'un n'exclut pas l'autre. Patrice Desbiens est né à Timmins ; son lieu d'origine est marquant, voire essentiel, comme plusieurs de ses recueils l'ont donné à voir. Or, est-ce à dire qu'il ne s'insérera pas dans la temporalité ou que s'il s'y insère ses origines seront occultées ? Il ne faut pas dialectiser l'espace au détriment du temps ou vice versa, ni brandir l'espace comme symbole de résistance contre le temps.

Dans un descriptif écrit en vue de consacrer un numéro d'*Études françaises* au temps, mais qui, finalement, n'a pas eu de suite, François Paré présentait ce dernier comme étant « interstitiel et surtout toujours à reconstruire dans l'imaginaire des cultures minoritaires [...]. Peut-être n'est-il qu'un clignotement entre deux lieux utopiques ? Peut-être certaines cultures minoritaires n'ont-elles pas de mémoire collective, que des fragments épars, des entre-deux[5] ? » On ne peut qu'être frappé par la sombre tonalité de ce questionnement, auquel je ne me résous pas à adhérer, en ce qui concerne à tout le moins la littérature franco-ontarienne, car trop d'œuvres littéraires la débordent de toute part. Je citerai *L'homme de paille* (1998) et *La kermesse* (2006) de Daniel Poliquin, *Ibn Khaldoun. L'honneur et la disgrâce* (2002) et *L'agonie des Dieux* (2005) de Jean Mohsen Fahmy et *Le testament du couturier* (2002) de Michel Ouellette. Ces romans mettent en scène, respectivement, l'époque de la Conquête anglaise, de la Première Guerre mondiale, de l'Égypte ancienne et le XIVe siècle, tandis que la pièce de théâtre de Ouellette déploie sa diégèse entre un lieu du futur, la Banlieue, et le XVIIe siècle. Ces temps romanesque et théâtral infléchissent tout autant le paradigme temporel dans la littérature franco-ontarienne que d'autres qui seraient davantage considérés comme caractéristiques d'une temporalité problématique propre à une culture minoritaire. Ce qui ne signifie pas que, par exemple, le traitement temporel dans *Le testament du couturier* ne soit pas menaçant-menacé, troué, poreux ou lacunaire : « Mais non, je ne veux pas troubler ton sens moral. Tu peux toujours continuer à croire à l'Avenir et refuser le Passé. Fais ce que dois pour être heureux » (Ouellette, 2005 : 12), soliloque Flibotte en s'adressant au tailleur Mouton, tandis que celui-là pense le contraire : « Le passé est toujours avec nous, même si on veut nous faire croire que, pour un homme moderne, le monde d'avant notre millénaire n'existe plus » (p. 12). Ces conceptions antithétiques du rôle du temps nourrissent une temporalité polysémique

que, pour ma part, je refuse de limiter à l'*épistémè* franco-ontarienne, même si, évidemment, une lecture contextualisante est fondée.

« Pour appréhender le temps, il y a la perspective cosmologique et il y a la perspective phénoménologique : la première montre le temps opératoire ou temps du monde, temps rigoureux, impersonnel, objectif ; la seconde, le temps existentiel ou temps vécu, temps fluctuant, enraciné dans le physiologique, subjectif » (Gervais, 2005 : 271). Le rapport à l'histoire, à la durée mémorielle, à la pérennité des institutions d'une culture minoritaire n'est pas, ne peut être le même que celui des « grandes cultures » ; il est modelé, voire entravé par des facteurs *sui generis* que j'inclus dans le vecteur cosmologique. La question est de savoir si ce vecteur conditionne, voire assujettit le temps existentiel. En fait, aucune généralité ne saurait tenir, chaque œuvre en disposant comme bon lui semble.

Le temps existentiel dans *Les petites heures qui s'avancent en riant* de Gilles Lacombe

J'entendais un vieil homme hier soir qui disait
que le mot le plus incompréhensible et le plus
mystérieux était le mot temps (Lacombe, 2001 : 61).

Après trois livres d'artiste parus en 1984, 1994 et 1997, Gilles Lacombe a publié onze recueils de poèmes entre 1998 et 2010. L'ensemble crée une mosaïque de manières (vers et poèmes brefs ; vers et poèmes longs ; textes en prose), de matières (amour, amitié, voyage, nature, etc.) et de tons (intimiste, ironique, dénonciateur). En plus de vingt-cinq ans de création artistique et poétique, Lacombe a construit une œuvre qui atteste que la poésie franco-ontarienne ne peut plus se réduire – si jamais, elle le fut – à quelques caractéristiques formelles et thématiques sans doute fondées, mais toujours limitatives.

Je vais m'arrêter à son premier recueil de poèmes, *Les petites heures qui s'avancent en riant*[6] paru en 1998, un ensemble de soixante-cinq poèmes assez longs (le plus court contient treize vers ; le plus long soixante-dix-sept ; tandis que la plupart comptent de trente à quarante vers) numérotés de un à soixante-cinq. Il me plaît de voir dans ces « petites heures qui s'avancent » une opposition au temps spectaculaire de la fin du millénaire. Je note d'ailleurs la présence de quelques images l'évoquant (« c'est comme un va-et-vient d'un millénaire à l'autre » [p. 31] ; « un millénaire de verdure » [p. 45]). En outre, cette indication d'un temps plus petit connote la quotidienneté, à l'encontre des « grandes » heures, des heures solennelles, voire du temps mythique. Par ailleurs, ces « petites heures » s'avancent-elles en riant, convaincues de leur bon droit, de leur supériorité tranquille ? Ou cette attitude du temps personnifié témoigne-t-elle d'une volonté de dédramatisation ?

Les déictiques balisent le temps « subjectif » du locuteur : « ce matin » (p. 13), « le soir » (p. 18), « aujourd'hui » (p. 19), « c'était novembre en avril » (p. 27), « les après-midi » (p. 27), « les firmaments d'après-midi » (p. 32), « l'aube à trois heures » et « en plein jour » (p. 35), « hier » (p. 37), « le troisième matin, à l'aube » (p. 46), « cet après-midi » (p. 46), « les petites heures du matin » (p. 47), « au moment de l'après-midi » (p. 54), « à midi » (p. 59), « un soir de juillet » (p. 70), « fin août » (p. 78). Ils annoncent le plus souvent des réseaux d'images qui énoncent un temps menaçant : ici, « au-dessus de l'heure de pointe / et du terminus achalandé, / à l'angle du soir / tombé sur la pesanteur du jour » (p. 15) ; ailleurs, « à la pointe fébrile de la nuit » (p. 57), « à la pointe du petit jour » (p. 72), « à la pointe brûlante du jour » (p. 77) ; là encore, « un débordement et une simple hémorragie / du temps » (p. 16), « déjà la fraîcheur matinale a tranché la question du temps » (p. 31), « la fraction de seconde / de catastrophe » (p. 73), « tous rabattus sur l'éternité / qui saigne dans sa main » (p. 90). Ce qui est anguleux, pointu, hémorragique, tranchant, catastrophique, saignant : ces images dénotent et connotent un rapport nettement conflictuel au temps, qui pèse de tout son poids dans l'« avancement d'âge » (p. 20) du je énonciateur dans le poème le plus long du recueil. Soixante-dix-sept vers qui tracent le portrait sans complaisance du locuteur :

> cinquante ans, c'est bien assez
> [...] voilà que je me retrouve
> encore là,
> comme dans un même rêve,
> sur la même scène,
> où je mendie, chaque nuit et jour, un sursis
> auquel je ne crois plus guère (p. 19).

Par la résonance sensible d'images à la tonalité juste, Gilles Lacombe développe une poétique à l'échelle intime, amoureuse. Son temps « subjectif » est celui de la quotidienneté.

La nuit est, à l'évidence, l'embrayeur dominant, le noyau autour duquel se forment des agrégats d'images : « de la fragilité de la nuit » et « d'une nuit d'odeurs voraces » (p. 11), « dans la nuit traversière » (p. 15), « quelqu'un serait venu durant la nuit » (p. 23), « la fraîcheur inhabituelle de la nuit » et « la discipline fériée de la nuit » (p. 38), « dans la chaleur de la nuit », « dans l'ancienne nuit guerrière » et « l'avidité rutilante de la nuit » (p. 43), « même dans la nuit » (p. 53), « et dans la nuit » (p. 54), « nuit brève » (p. 58), « dans les nuits temporelles d'émeraude » (p. 72), « certaines nuits » (p. 80), « à trois heures de la nuit » (p. 91). Cette énumération – incomplète – suggère que la nuit est le lieu des sensations, des rêveries, de ce qui arrive, de ce qui s'y noue, mais pas nécessairement de ce qui s'y dénoue, le jour entrant alors en scène dans une dynamique à deux temps : « où je mendie, chaque nuit et jour » (p. 19) ; « et le soleil de briller / nuit et jour » (p. 64). En fait, sous des dehors banals de simple inversion des deux termes du paradigme conventionnel « jour, nuit », la nuit, dans ces vers, est à l'origine du mouvement. Dès lors, le jour, prenant le relais de l'action de mendier et de voir le soleil briller, ne fait-il que prolonger le mouvement linéaire temporel ou manifeste-t-il son ascendant sur la nuit ? Gérard Genette, dans son étude sur « le jour, la nuit », prétend qu'« [a]imée ou redoutée, exaltée ou exorcisée, la nuit est *ce dont on parle* : mais on dirait que cette parole ne peut se passer du jour. On pourrait parler du jour sans penser à la nuit, on ne peut parler de la nuit sans penser au jour : "La nuit, dit Blanchot, ne parle que du jour" » (Genette, 1969 : 106, l'italique est de l'auteur). La progression rhétorique d'un tel passage n'échappe à personne : les « on dirait que » et « on ne peut » sont suivis de l'estocade blanchotienne, qui ne laisse guère de place à quelque contestation que ce soit. Or, au risque de passer pour un béotien en prenant de manière primaire le contre-pied de l'opinion de Blanchot aux allures de jugement assertorique, certaines images de la nuit dans les poèmes de Lacombe le contredisent. Certes, ce n'est pas le cas dans les derniers vers cités où le jour constitue le point d'arrivée des actions entreprises la nuit. En revanche, quand je lis :

> C'est simple :
> on ne voit que la moitié ou le tiers ou le quart
> ou encore moins encore
> de la fragilité de la nuit
> coincée en petits paquets d'herbe sauvage (p. 11),

la nuit est fragile en elle-même et pour elle-même. Pour ne pas demeurer à la surface des choses, il faudrait passer de l'assertorique à l'apodictique, mais je ne veux pas faire de ce paradigme « nuit, jour » le centre de mon analyse[7]. Je note toutefois qu'à la fin de son étude, Genette écrit : « Ici se marque un dernier renversement dans la dialectique du jour et de la nuit, car si le jour dominateur est, en son plein éclat, la vie, la nuit féminine est, dans sa profondeur abyssale, à la fois vie et mort : c'est la nuit qui nous donne le jour, c'est elle qui nous le reprendra » (Genette, 1969 : 121). Concluant un passage sur la masculinité du jour et sur la féminité de la nuit, cette remarque doit se comprendre avant tout dans cette perspective. Il n'en demeure pas moins que la dernière partie de cette citation contraste singulièrement avec l'argument péremptoire de Blanchot. À moins qu'il n'ait fallu comprendre que la nuit (féminine, maternelle) ne parle que du jour (masculin)...

J'ai évoqué le chronotope de la nuit, entendu que la nuit est à la fois temps et espace. Dans cette perspective, les deux vers suivants acquièrent une résonance particulière : « tu te déplaces de lieu en lieu / comme de nuit en nuit » (p. 80). La question pourra paraître byzantine, mais s'agit-il d'une comparaison simple (*comparatio*) ou d'une comparaison figurée (*similitudo*) ? Si on considère la spatialité du lexème « nuit », il en résulte que le comparé et le comparant, faisant partie du même système référentiel, forment une comparaison simple. À l'inverse, évidemment, si on privilégie la temporalité du comparant, il s'agit d'une comparaison figurée. Il reste un troisième cas de figure qui repose sur la temporalité du lexème « lieu ». Le verbe « déplacer » signifiant notamment « aller d'un lieu à un autre », on pourrait trouver superflu, sinon redondant d'écrire « se déplacer de lieu en lieu ». En revanche, « aller d'un lieu à l'autre » marque une clôture temporelle (on va d'un lieu à l'autre où s'arrête le déplacement) absente de l'expression « de lieu en lieu », qui reste ouverte. Ces remarques fort banales me permettent toutefois de noter que le premier vers du distique insiste sur le déplacement sans fin, sur l'errance qui s'inscrit dans la durée. « Selon la définition de Leibniz, l'espace est [...] l'ordre des coexistences [...]. Au contraire, le temps est défini par Leibniz comme l'ordre des successions », indique Alban Gonord (2001 : 235). Or, le déplacement de lieu en lieu participe de l'ordre des successions, un lieu succédant à un autre. Poursuivons un peu. Christine Dupouy soutient que « le lieu est par excellence ce qui permet d'accéder au temps [...], et son essence même n'est peut-être autre que le temps » (2006 : 102).

Dès lors, prenant appui sur la deuxième partie de cette citation, il serait même possible d'aller jusqu'à soutenir que le comparant et le comparé appartiennent au même système référentiel du temps. Ainsi le comparant ne viendrait ni prolonger, voire accentuer la spatialité du comparé, ni compléter le couple spatio-temporel, mais il renforcerait la temporalité du comparé. Certes, une telle lecture semble nous éloigner de la chronotopie. Mais est-ce réellement le cas si je reviens à la notion bakhtinienne d'« indissolubilité » de l'espace et du temps alors même que ces deux vers peuvent être l'un ou l'autre, l'un et l'autre ?

Examinons de plus près un poème qui me semble réunir un certain nombre d'éléments esquissés jusqu'à présent.

Le poème 46 compte deux strophes hétérométriques de douze et vingt vers. Citons la première :

> tu dis
> il est vrai que la nuit est parfois
> tardive,
> comme le jour d'ailleurs
> et les heures étales
> qui précèdent le départ des âmes
> et la flambée des images,
> le feu qui brûle ne se voit pas,
> même l'œil est pénétré
> jusqu'au point de saturation
> et l'ignore
> comme on ignore le temps (p. 69)

À l'évidence, un drame se prépare : l'œil ignore qu'il est atteint gravement, « jusqu'au point de saturation », cette ignorance laissant présager une suite douloureuse, voire une destruction. De même, la comparaison finale, par transposition sémantique du comparé au comparant, fait en sorte que le temps est aussi, sinon davantage menaçant. Si le premier vers annonce un discours rapporté en isolant le « tu », le « on » du dernier vers peut représenter la réunion implicite du « je » avec le « tu ». Puis, pour que la nuit tarde parfois à venir, il faut que le jour se prolonge ; or, le jour aussi vient parfois tardivement : entre la fin du jour et le début de la nuit et vice versa, existerait donc un temps intercalaire, ces « heures étales / qui précèdent le départ des âmes / et la flambée des images ». Que cette flambée soit la conséquence de ce départ ou que les deux actions soient sans lien autre que leur succession énumérative, il n'empêche que la flambée provoque une réaction funeste. Ce feu qui brûle sans qu'on le voie peut être un feu intérieur, en lien isotopique avec les mots « âmes », « images » (mentales ?) et l'intérieur de l'œil (étant donné qu'il est pénétré).

Les marqueurs temporels balisent la première strophe : la nuit, le jour, les heures, et, au dernier vers, le terme englobant du « temps », tandis que la deuxième strophe commence par un adverbe temporel :

> alors tu nettoies la table
> et recueilles les miettes de pain,
> et le sucre et le sel
> dans les creux saignants de ta main.
> tu ranges la coutellerie et la vaisselle.
> tu éteins la radio.
> tu poses à leur place
> les napperons et la corbeille de fruits en porcelaine.
> tout cela, tu le fais
> alors que dans la fine poussière de la clarté dansante,
> l'ignorance, granuleuse, transitoire,
> de ce qui a lieu en son temps
> se propage
> comme du gaz enflammé qui ne se voit pas
> et que l'on boit
> comme du sang consacré (p. 69).

On constate un certain parallélisme formel avec la première strophe : le « tu » en début de vers ; le verbe « ignorer » devenu un substantif ; la reprise du syntagme verbal « ne se voit pas » ; le « on » à l'avant-dernier vers ; la comparaison finale. À la première strophe comminatoire où domine une temporalité problématique succède, dans la première séquence (au sens sémiotique du terme) de la deuxième strophe, l'espace rassurant de la cuisine et la description de gestes banals que vient rompre le cinquième vers : « dans les creux saignants de ta main » (le pluriel étonne). Elle « ignorait » cette blessure, sinon elle n'aurait pas recueilli le sel au creux de sa main ; à moins que ce ne soit le sel qui ait provoqué cette réaction. Que ce soit l'un ou l'autre, le résultat est le même : elle prend du retard. (Si ignorance de la blessure il y a, on note la reprise du rapport sémantique entre l'« ignorance » et le « temps ».) Puis, par l'utilisation d'un zeugme sémantique, elle prend également « chaque chose / légèrement, presque tendrement glissée /

d'entre les doigts frémissants d'un amoureux ». Ce passage à densité érotique ouvre une brèche sémantique sur une tout autre lecture reposant sur une isotopie sexuelle[8].

Après ce passage suggestif, le « tu » poursuit la remise en place des objets. Ni la blessure aux « creux saignants de [l]a main », ni le retard pris, ni la présence des « doigts frémissants d'un amoureux » ne vient rompre le rangement, le ballet domestique qui a pour fonction de perpétuer la normalité des choses. Pour Georges Poulet, « [d]urer, c'est être présent ; et être présent, c'est être présent à des choses qu'on dispose dans une sorte de temps-espace » (1964 : XLVII). Cette présence est assurée, car « tout cela tu le fais ». Elle n'est pas suffisante, toutefois, pour repousser « l'ignorance » « de ce qui a lieu en son temps » qui, dès lors, continue de se propager. Cette fois, c'est le « gaz enflammé qui ne se voit pas », ce qui étonne moins étant donné sa nature. Étant un « corps fluide indéfiniment expansible, occupant tout le volume dont il dispose » (Rey-Debove et Rey, 2002 : 1167), le gaz envahit tout l'espace et, par le fait même, rompt l'équilibre « chrono-spatial ». Les deux derniers vers déconcertent de prime abord, car ce gaz on le « boit / comme du sang consacré ». Puis, on note le rapprochement paronymique entre « voit » et « boit » ; surtout, le sang nous ramène aux « creux saignants de [l]a main » et, par entrelacement métaphorique, à la possibilité de boire dans le creux de sa main ; enfin, on relève la connotation religieuse du sang bu, nous renvoyant au « départ des âmes », ouvrant ainsi une autre voie analytique[9]. À la fin de cette microlecture, il reste à se demander si le poème se termine par un échec, une rupture. Tout porte à le croire, sauf que je suis réticent à l'affirmer pleinement, à cause de la portée religieuse de la comparaison clausulaire qui autoriserait à soutenir que les épreuves successives ont peut-être conduit le « on » à boire le sang consacré, à communier, donc, avec la vie. En revanche, cette image « n'est que » le comparé : c'est bien le gaz enflammé qu'ils boivent. En outre, la première strophe du poème suivant évoque une séparation et d'hypothétiques retrouvailles :

> ainsi,
> on se reverrait un soir de juillet,
> autour d'une table,
> sous les parasols d'une terrasse
> et voilà qu'on ne verrait entre nous
> qu'un verre d'eau (p. 70).

Une table anonyme dans l'espace public d'une terrasse succède à la table de l'espace privé. Ils voient désormais, mais c'est pour constater la présence d'un verre d'eau dérisoire entre eux. À tout le moins, ce « très long départ », « cet état d'abandon » n'aurait pas été vain, puisque « nous serions allégés » par « l'unique et nécessaire / traversée du temps » (p. 70). Ce temps, qu'ils ignoraient dans le poème précédent, ils auront dû l'affronter, en accepter l'apprentissage et la traversée. Cela dit, il faut tout de même insister sur le fait que ce poème est écrit au conditionnel dans un mélange de souhait et de regret.

Il va sans dire que je n'ai pas épuisé toutes les avenues spatio-temporelles du recueil de poèmes de Gilles Lacombe. Ainsi, aurais-je dû m'arrêter à « l'instant ». « Il faudrait inventer une *mesure de l'instant* » (Poulet, 1968 : 9, l'italique est de l'auteur), lançait Georges Poulet dès la première phrase du quatrième tome de ses *Études sur le temps humain,* intitulé justement *Mesure de l'instant.* « Car, poursuivait-il, ses dimensions varient. Tantôt il se trouve réduit à son instantanéité même : il n'est que ce qu'il est, et, en deçà, au delà, par rapport au passé, à l'avenir, il n'est rien. Et tantôt, au contraire, s'ouvrant sur tout, contenant tout, il n'a plus de limites » (p. 9). La durée dans sa plus petite unité ; la durée dans l'addition sans fin d'instants. Je n'oppose pas ses deux variations. L'instantanéité même, sans passé, sans avenir, se répétant s'ouvre sur tout. Tel est du moins ainsi que je lis « l'éternité vorace des instants » (p. 76). J'aurais dû également mettre davantage en valeur le chronotope du quotidien. Analysant la poésie de Philippe Jaccottet, Jean-Pierre Richard constatait que « [l]a durée c'est l'espace quotidien en lequel les corps s'usent, les sentiments s'épuisent, les objets se ternissent » (1964 : 268). Cette réflexion trouve écho dans telle strophe ou tel poème des *Petites heures qui s'avancent en riant.* Je pense notamment au poème 49 qui semble constituer une suite directe, concrète au poème 46, tant les images se répondent :

> elle tourne la page,
> voilà un malheur de moins
> dit-elle. [...]
> c'est dû à la
> la [*sic*] fraction de seconde
> de catastrophe
> éclatée
> sur la table,
> avec les miettes

vitrées, brillantes,
de la salière
mêlées au repas.
c'est le signe d'une querelle
ou d'un tremblement de terre (p. 73).

Au-delà de ce qu'il faudrait enrichir et approfondir, une prémisse était sous-jacente à ces quelques considérations sur le recueil du poète franco-ontarien Gilles Lacombe. Il témoigne d'un temps qui n'est ni sacralisé, ni éclaté, ni résigné en fonction de conceptions temporelles particulières aux cultures minoritaires. Certes, je ne laisse pas entendre que les cultures minoritaires n'infléchissent pas le temps selon des enjeux *sui generis*. Je dis seulement que, dans le cas des *Petites heures qui s'avancent en riant*, il s'agit ni plus ni moins que d'un temps existentiel.

NOTES

1. Lucie Hotte a procédé à un semblable repérage dans son article « Fortune et légitimité du concept d'espace en critique littéraire franco-ontarienne » (2000 : 138).
2. Quels que soient, par ailleurs, le sens et la portée conférés à la notion d'espace. Dans « Fortune et légitimité du concept d'espace en critique littéraire franco-ontarienne », Lucie Hotte en retient trois : « l'espace représenté, c'est-à-dire "la description ou la *représentation verbale* d'un lieu physique" ; l'espace de la représentation, plus précisément l'espace de la création et de la réception, et finalement l'espace "en tant qu'élément constitutif du roman au même titre que les personnages, l'intrigue ou le temps". Cet espace structurant désigne une "topographie inscrite dans l'œuvre, où s'effectue la 'transformation romanesque du lieu en élément de signification'" » (2000 : 337, l'italique est de l'auteure).
3. Je donnerai un autre exemple, plus récent, qui participe de la même logique. Ont paru, en 2005, les actes du colloque sur les *Thèmes et variations : regards sur la littérature franco-ontarienne*. L'on consacre une section du livre à « L'ici et l'ailleurs : explorations de l'espace ». Or, ce qui est frappant, c'est le refus de prendre en compte la temporalité alors même qu'elle est présente dans les analyses. L'analyse de Lucie Hotte (« En quête de l'espace : les figures de l'enfermement dans *Lavalléville*, *Le Chien* et *French*

Town ») est, à cet égard, révélatrice. Faisant écho à son texte déjà cité sur « Fortune et légitimité du concept d'espace en critique littéraire franco-ontarienne », Lucie Hotte se « propos[ait] [...] d'analyser plutôt l'espace structurant, c'est-à-dire l'espace "en tant qu'élément constitutif du [texte littéraire] au même titre que les personnages, l'intrigue ou le temps" » (2000 : 42). Or, cet angle analytique ne peut empêcher le temps d'apparaître en creux, sans qu'il entraîne de prise en compte chronotopique. Dans *French Town*, « Pierre-Paul, Cindy et, dans une moindre mesure, Martin vivent, chacun à sa manière, dans le passé. Pierre-Paul surtout en souffre. Pour lui, il s'agit d'une véritable obsession : il ne peut oublier ni d'où il vient ni les mauvais traitements qu'il a subis. Pour Cindy, perpétuer la mémoire du père constitue plutôt un mécanisme de défense lui permettant d'éviter l'avenir, alors que Martin, qui n'a vraiment connu ni son père ni sa mère, choisit de préserver les traditions familiales. Bien qu'ils n'en souffrent pas tous autant, leurs perspectives d'avenir sont sombres. » (p. 50) Nous sommes ici, à l'évidence, dans une mise en perspective temporelle sous-jacente aux comportements des trois protagonistes. Or, à nul moment le temps est dialectisé dans une relation spatio-temporelle signifiante ou structurante.

4. Cette définition de « chronotope » figure dans la version électronique du *Dictionnaire international des termes littéraires* ([En ligne], [http://www.ditl.info/arttest/art20542.php] [17 novembre 2006]) ; elle ne figure pas dans les fascicules éponymes (« Fascicules 3 & 4 : Bourgeois – Corrido », sous la dir. scientifique de Robert Escarpit, *Dictionnaire international des termes littéraires*, Berne, Éditions A. Francke, 1984).
5. François Paré, « Descriptif : composer les marges du temps », [p. 1], inédit.
6. Désormais, les références à ce recueil seront indiquées par le folio entre parenthèses dans le texte.
7. Quelques mots tout de même sur les régimes diurne et nocturne de l'image développés par Gilbert Durand dans *Les structures anthropologiques de l'imaginaire : introduction à l'archétypologie générale* (1963). De manière très réductrice, Genette s'est contenté de noter qu'« [e]n vérité, la nuit n'est que l'*autre* du jour, ou encore, comme on l'a dit d'un mot brutal et décisif, son *envers*. Et cela, bien sûr, est sans réciproque » (1969 : 106, l'italique est de l'auteur). Pour toute référence, il s'est limité à la « Table des matières » du livre de Durand (« *Hymne à la Nuit*. – L'envers du jour », p. 512). Qu'en est-il au juste ? « Sémantiquement parlant, on peut dire qu'il n'y a pas de lumière sans ténèbres alors que l'inverse n'est pas vrai : la nuit ayant une existence symbolique autonome » (p. 59), indique Durand en exorde au chapitre sur « le régime diurne de l'image ». Si cette assertion ne contredit pas le fait que la nuit puisse être l'« envers » du jour, elle en complexifie tout de même la portée. De fait, dans un premier temps, l'envers dont il s'agit est à prendre au pied de la lettre, car « [c]hez les Égyptiens, le ciel nocturne, assimilé au ciel d'en bas [...] manifeste

explicitement le processus d'inversion : ce monde nocturne étant l'exacte image renversée, comme en un miroir, de notre monde [...]. Ce processus est encore plus net chez les Toungouse et les Koriak pour lesquels la nuit est le jour même du pays des morts, tout étant inversé dans ce royaume nocturne » (p. 231). Puis, dans un deuxième temps, cette inversion ne signifie pas que la nuit est à la remorque du jour, qu'elle n'est que « l'*autre* du jour », puisque « [l]a chaîne isomorphe est donc continue qui va de la revalorisation de la nuit à celle de la mort et de son empire. L'espoir des hommes attend de l'euphémisation du nocturne une sorte de rétribution temporelle des fautes et des mérites » (p. 232). Du régime diurne de l'image à son régime nocturne, l'on passe du « régime héroïque de l'antithèse » au « régime plénier de l'euphémisme » (p. 203). On ne peut prendre appui sur les analyses de Durand pour prétendre, comme le fait Genette, que la nuit est simplement l'« envers » du jour.

8. « La nuit est parfois tardive / comme le jour d'ailleurs » puisque les amants les repoussent ; les images érotiques flambent et allument un feu intérieur si intense que même l'œil en est saturé, mais on l'ignore comme on ignore le temps, tant seul compte l'embrasement sexuel. Cette isotopie devrait évidemment considérer « l'œil pénétré », « les doigts frémissants d'un amoureux » et ce « que l'on boit /comme du sang consacré ».
9. Les champs lexical et symbolique des âmes, des flammes, des images (saintes), du feu, de la table, du pain, des plaies du Christ (« dans les creux saignants de ta main ») et le sang consacré que l'on boit.

BIBLIOGRAPHIE

BAKHTINE, Mikhaïl (1978). *Esthétique et théorie du roman*, traduit du russe par Daria Olivier, préface de Michel Aucouturier, Paris, Gallimard.

BERNARD, Roger ([1988] 1996). « Avant-propos », *De Québécois à Ontarois*, 2e éd. revue, corrigée et mise à jour, Ottawa, Le Nordir, p. 9-10.

COLLINGTON, Tara (2006). *Lectures chronotopiques : espaces, temps et genres romanesques*, Montréal, XYZ éditeur.

DUPOUY, Christine (2006). *La question du lieu en poésie du surréalisme jusqu'à nos jours*, préface de Michel Collot, Amsterdam, Rodopi.

DURAND, Gilbert (1963). *Les structures anthropologiques de l'imaginaire : introduction à l'archétypologie générale*, Paris, Presses universitaires de France.

FAYE, Éric (1996). *Le sanatorium des malades du temps : temps, attente et fiction, autour de Julien Gracq, Dino Buzzati, Thomas Mann, Kôbô Abé*, Paris, José Corti.

GARDES-TAMINE, Joëlle, et Marie-Claude HUBERT ([1993] 2002). *Dictionnaire de critique littéraire*, 2e éd. revue et augmentée, Paris, Armand Colin/VUEF.

GENETTE, Gérard (1969). « Le jour, la nuit », *Figures II*, Paris, Seuil, p. 101-122.

GERVAIS, André (2005). « L'inventeur du temps gratuit, de Robert Lebel, "portrait imaginaire" de Marcel Duchamp », dans Lucie Guillemette et Louis Hébert (dir.), *Signes des temps : temps et temporalités des signes*, avec la collaboration de Lucie Arsenault et de Josiane Cossette, Sainte-Foy, Les Presses de l'Université Laval, p. 267-288.

GONORD, Alban (2001). *Le temps*, Introduction, choix des textes, commentaires, vade-mecum et bibliographie, Paris, GF Flammarion.

HOTTE, Lucie (2000). « Fortune et légitimité du concept d'espace en critique littéraire franco-ontarienne », dans Robert Viau (dir.), *La création littéraire dans le contexte de l'exiguïté*, 9e colloque de l'Association des professeurs des littératures acadienne et québécoise de l'Atlantique, Beauport, Publications MNH, p. 335-351.

HOTTE, Lucie (2005). « En quête de l'espace [la « Table des matières » indique « En quête d'espace »] : les figures de l'enfermement dans *Lavalléville*, *Le chien* et *French Town* », dans Lucie Hotte et Johanne Melançon (dir.), *Thèmes et variations : regards sur la littérature franco-ontarienne*, Sudbury, Prise de parole, p. 41-57.

LACOMBE, Gilles (1998). *Les petites heures qui s'avancent en riant*, Orléans, Éditions David.

LACOMBE, Gilles (2001). *La mesure du ciel sur la terre,* suivi de *Les chats dans les arbres*, Ottawa, Éditions L'Interligne.

MITTERAND, Henri (1990). « Chronotopies romanesques : Germinal », *Poétique*, n° 81 (février), p. 89-104.

OLIVEIRA, Carlos (1990). « De la volonté à l'acte : un entretien de Paul Ricœur », dans Christian Bouchindhomme et Rainer Rochlitz (dir.), *« Temps et récit » de Paul Ricœur en débat*, Paris, Éditions du Cerf, p. 17-36.

OUELLETTE, Michel ([2002] 2005). *Le testament du couturier*, Ottawa, Le Nordir.

PARÉ, François (1992). « Préface », *Les littératures de l'exiguïté*, Ottawa, Le Nordir, p. 5-8.

PARÉ, François (2003). « Avant-propos », *La distance habitée*, Ottawa, Le Nordir, p. 9-15.

POULET, Georges ([1949] 1964). « Introduction », *Études sur le temps humain*, t. I, Paris, Plon, p. I-XLVII.

POULET, Georges (1968). « Avant-propos », *Études sur le temps humain*, t. IV, *Mesure de l'instant*, Paris, Plon, p. 9-13.

PROUST, Marcel ([1954] 1987). *Contre Sainte-Beuve*, préface de Bernard de Fallois, Paris, Gallimard.

REY-DEBOVE, Josette, et Alain REY (dir.) (2002). *Le nouveau Petit Robert*, texte remanié et amplifié, Paris, Dictionnaires Le Robert/VUEF.

RICHARD, Jean-Pierre (1964). *Onze études sur la poésie moderne*, Paris, Seuil.

RICŒUR, Paul (1984). « III. À la recherche du temps perdu : le temps traversé », *Temps et récit*, t. II : *La configuration dans le récit de fiction*, Paris, Seuil, p. 194-225.

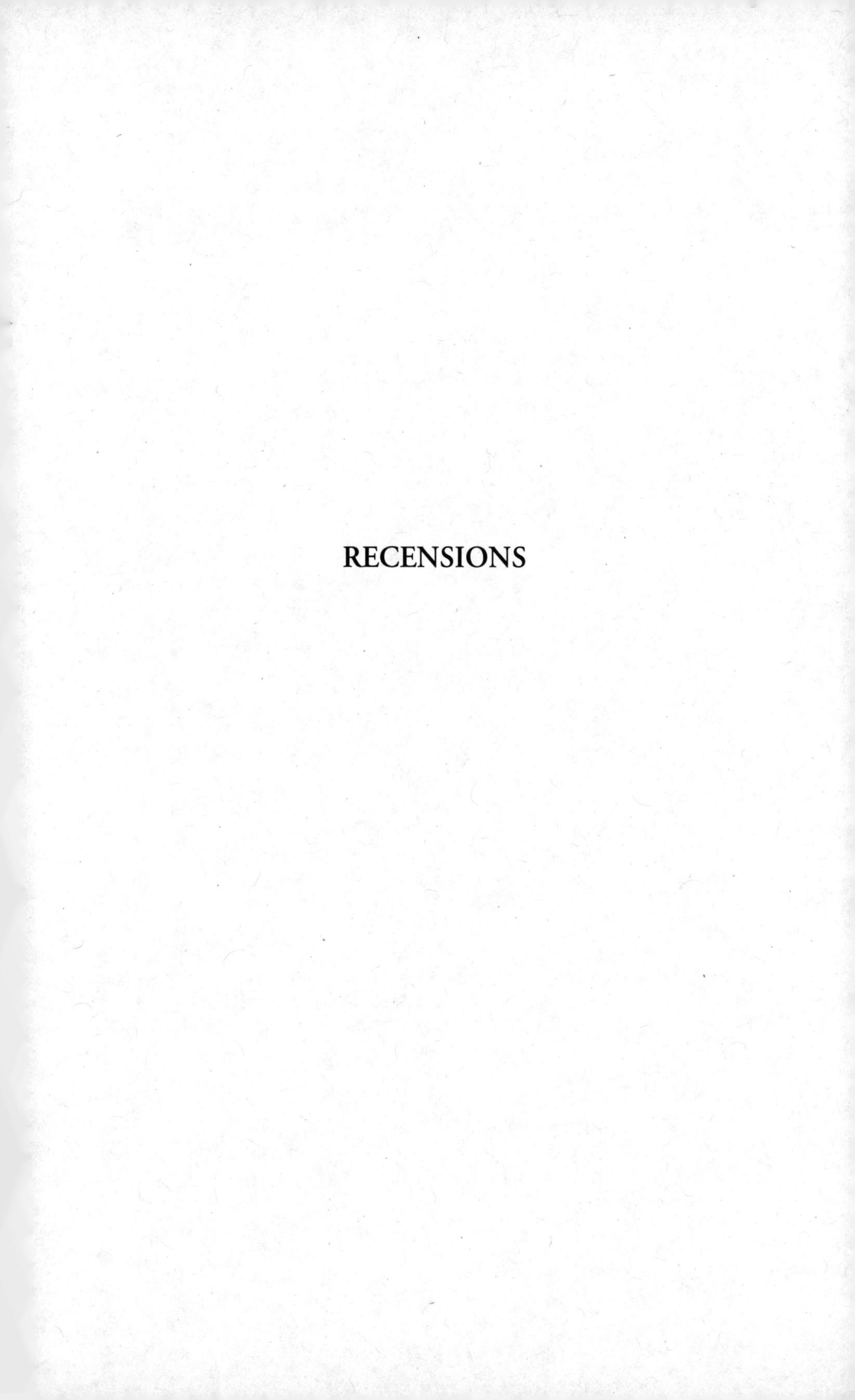

RECENSIONS

HABITER LA DISTANCE : ÉTUDES EN MARGE DE LA DISTANCE HABITÉE

sous la direction de Lucie Hotte et Guy Poirier
(Sudbury, Prise de parole, 2009, 191 p.,
collection « Agora »)

María Fernanda Arentsen
Collège universitaire de Saint-Boniface

Comme son titre l'annonce, cet ouvrage est consacré à l'analyse de romans, d'essais et de chansons de divers auteurs franco-canadiens, suivant l'approche proposée par François Paré dans son livre *La distance habitée* (Le Nordir, 2003). Huit chercheurs provenant de diverses régions du Canada se penchent sur des problématiques telles que la langue, la mémoire, le déplacement, l'itinérance identitaire, les sentiments d'abandon et de perte, autant de jalons qui sillonnent les productions culturelles des sujets minorisés.

François Paré, lui-même, commente sa pensée et les travaux de cet ouvrage dans sa postface intitulée « Le fils éperdu ». Il explique que l'image de la distance habitée évoque le motif de la disparition de la figure paternelle. Cette absence instaure chez le sujet abandonné le désir de comprendre la distance qu'installe ce manque essentiel, désir qui le mène à circuler dans les interstices des espaces – extérieurs et intérieurs. Or, l'itinérance et la déterritorialisation, tout en mettant en évidence le manque, ouvrent en même temps vers un monde de contact avec l'altérité. Ainsi, les travaux de ce livre témoignent des tensions présentes dans les cultures minorisées : d'une part, les modifications issues du contact avec l'altérité et, d'autre part, la volonté d'affirmation afin de conjurer la perte, ce qui permet de bâtir un espace habitable où il serait possible de construire l'avenir.

Les tensions de la complexe réalité des cultures marginalisées se manifestent de diverses manières. Catherine Leclerc, dans le premier article intitulé « L'Acadie (s')éclate-t-elle à Moncton ? Notes sur le chiac et la distance habitée », se penche sur la problématique de la langue. Elle analyse la place du chiac dans les œuvres acadiennes *Petites difficultés d'existence*, de France Daigle, *Vortex*, de Jean Babineau, et *Acadieman*, de Dano LeBlanc. Elle note que la célébration de la mixité dont témoignent certaines œuvres acadiennes ne va pas sans poser une certaine angoisse. Leclerc se questionne sur l'effet de marginalisation que pourrait poser le chiac, sans exclure son potentiel vivifiant au sein de la culture acadienne, tout en renonçant à offrir une réponse définitive à cette problématique.

Dans le deuxième article, « Chanter *contre* l'autre ou Comment habiter la distance dans la chanson en Ontario français », Johanne Melançon se penche, elle aussi, sur la problématique de la diglossie en examinant la place qu'occupe l'anglais dans deux groupes de la chanson ontarienne : CANO (1970) et Konflit Dramatik (2000). Melançon insiste sur l'importante complexité de l'univers de la chanson. Il y a, en effet, plusieurs composantes qui vont déterminer les choix des chansonniers : la musique avant tout, la relation avec le public, l'entourage politique et les politiques gouvernementales. Elle constate que, dans les contextes très différents des années 1970 et 2000, les propositions musicales des deux groupes seront nécessairement dissemblables. Tandis que CANO projette une image conciliatrice de pont entre deux cultures, Konflit Dramatik intègre l'anglais dans les paroles de ses chansons pour mieux répondre à la réalité langagière de son public, ce qui amène Melançon à s'interroger sur l'hybridité de la culture ontarienne.

Le dernier article consacré à la problématique de la langue est celui de Pamela Sing, « Stratégies relationnelles du *far ouest* : écriture "bi-langue", intégration et différenciation chez Paulette Dubé et chez Gisèle Villeneuve ». Dans ce travail, Pamela Sing, en analysant les procédés de l'écriture « bi-langue », met en relief les rapports interculturels présents dans deux œuvres de l'Ouest canadien : *Talon,* de Paulette Dubé, et *Visiting Elizabeth,* de Gisèle Villeneuve. L'intromission de l'autre langue vient perturber « les frontières servant à préserver le mythe national des "deux solitudes" pour inscrire un espace interstitiel et relationnel », affirme Sing. Elle note que dans le premier roman, écrit en anglais, Dubé conteste la position subalterne du français face à la culture majoritaire par le fait même d'affirmer l'histoire complexe des Albertains d'origine francophone, tout en déconstruisant les stéréotypes auxquels ils sont condamnés en tant que culture minorisée. Le deuxième roman, écrit en français, présente l'intromission de l'anglais comme un choix de l'héroïne qui accepte de l'utiliser occasionnellement sans pour autant s'y soumettre. Ainsi, l'analyse de Sing prouve que ces textes « bi-langue[s] » mettent en valeur la langue française, capable de rendre présent le passé des francophones albertains, et maintiennent l'anglais à distance.

Dans son article « Habiter et rêver la Colombie-~~Britannique~~ francophone », Guy Poirier analyse la problématique de l'identité francophone en situation d'excentré, en se penchant sur le roman de Pierre Nepveu, *L'hiver de Mira Christophe*, sur le recueil de nouvelles de Claude Bouygues, *De part et d'autres*, et sur le roman de Monique Genuist, *Nootka*. Le défi de Poirier est de taille : étant donné que l'identité francophone de la Colombie-Britannique est si jeune, comment parler de sa mémoire ? Il conclut que les deux premières œuvres établissent un dialogue avec la Colombie francophone, par l'entremise de la distance et de l'éloignement. Or *Nootka*, qui s'applique à abolir la distance, marquerait un point de naissance et d'espoir. Ainsi, Vancouver représenterait le « point de chute » de l'errance francophone.

Sophie Beaulé, dans « Mémoire et expérience migrante dans la science-fiction », propose une lecture de la mémoire et de l'errance dans *Tyranaël I, II, III, IV* et *V*, d'Élisabeth Vonarburg, *Terre des autres,* de Sylvie Bérard, *L'espace du diamant* et « Le piège à souvenirs », d'Esther Rochon. L'analyse de Beaulé met en évidence les processus d'hybridation opérés lors des déplacements, ainsi que les efforts mémoriels des migrants. Suivant l'approche des travaux de François Paré et de Paul Ricœur, Beaulé décèle dans les textes étudiés les isotopies du déracinement, de la mémoire, du deuil du passé, de la rencontre, du pardon, autant d'« aspects actuels du discours social ».

Lucie Hotte examine différents aspects de la distance dans l'œuvre de Michel Ouellette. Dans son article « S'éloigner, s'exiler, fuir : la migration comme mise à distance chez Michel Ouellette », Hotte se penche sur les espaces de l'itinérance en tant qu'espaces de perte, ou encore « mortifères ». Elle montre que, dans les œuvres de Michel Ouellette, temps et espace se trouvent étroitement liés, à tel point qu'à « l'enfermement dans l'espace correspond un emprisonnement dans le temps. » Or, pour ses personnages, la fuite de l'origine ne conduit jamais à la liberté puisqu'ils portent le passé en eux et qu'ils ne peuvent y échapper. Hotte conclut que, face à cette impossibilité d'être, la seule solution serait « d'habiter la distance entre le présent et le passé ». L'enracinement qui permet la vie est possible à condition d'étreindre le passé.

Jean Morency, dans son article « Romanciers du Canada français : Gabrielle Roy, Jacques Poulin, Michel Tremblay, Roch Carrier », entreprend de retrouver les traces de la romancière manitobaine dans les œuvres des trois auteurs cités. En s'inspirant de François Paré, qui affirme qu'aussi bien les espaces urbains que les grands espaces de l'Amérique du Nord des récits de Gabrielle Roy rendent compte de l'itinérance, Morency cherche à établir les marques de cette américanité dans *Volkswagen blues* (Poulin), *La traversée du continent* (Tremblay) et *Petit homme tornade* (Carrier). La vastitude de l'espace américain est « intimement liée à l'expérience canadienne-française et franco-américaine », affirme Morency. Cet espace qui sollicite le déplacement des colons-conquérants, voire des aventuriers, est rempli de réseaux, de mémoires, de dynamisme, de solidarités. Mouvement, identité flottante, fugacité sont le lot de l'imaginaire de la diaspora franco-canadienne qui sillonne le continent.

Dans le dernier article, « *Le canon des Gobelins* de Daniel Poliquin : une parfaite unité », Kathleen Kellett-Betsos questionne la composition inégale – au niveau diégétique – de ce recueil de nouvelles. Elle avance que l'autorité de la voix narrative y est déjouée afin de provoquer chez le lecteur une sensation déstabilisante, caractéristique de la conscience diasporale. Les processus d'indétermination des catégories narratives des récits de Poliquin s'ouvrent sur l'incertitude des flottements identitaires en rapport avec « l'ethnie, la nationalité, la langue et même le sexe ». Kellett-Betsos prouve que l'incertitude, l'effacement de frontières, l'indétermination, qui font partie de l'expérience des sujets minoritaires, s'inscrivent dans les récits de Poliquin, tant dans les histoires racontées que dans la structuration narrative.

Lucie Hotte et Guy Poirier offrent, dans cet ouvrage dorénavant incontournable, des réflexions s'ouvrant aussi bien sur des réponses que sur des interrogations. *Habiter la distance* se révèle un outil essentiel pour comprendre la production culturelle de la francophonie canadienne. Ce livre met en lumière sa résistance, ses espoirs et ses craintes, des points en commun qu'il sait appréhender au-delà des formes et de la distance. Il aidera le lecteur à pénétrer une réalité dynamique, intense et complexe. Habiter, c'est construire pour l'avenir, c'est enraciner la mémoire du futur. Mais comment le faire dans l'éloignement, dans le sentiment d'abandon ? Les articles de cet ouvrage explorent ce mouvement paradoxal, typiquement franco-canadien, avec une lucidité sans concession. S'emparer de la distance qui s'étend d'un océan à l'autre, élucider les ressorts profonds des voix qui s'élèvent pour affirmer une existence qui refuse de disparaître a sûrement été un des objectifs de ce travail. Il sera maintenant un point de départ pour de futures recherches.

POINTE MALIGNE, L'INFINIMENT OUBLIÉE : PRÉSENCE FRANÇAISE DANS LE HAUT SAINT-LAURENT ONTARIEN, TOME I

Nicole V. Champeau
(Ottawa, Éditions du Vermillon, 2009, 376 p.,
collection « Visages »)

Anne Gilbert
Université d'Ottawa

Ce livre nous chante, tel un requiem, l'anéantissement de territoires du Haut Saint-Laurent engloutis par les barrages et dépeuplés par l'expropriation des habitants. Ces lieux ont même disparu de la mémoire des cartes. Autour de Cornwall, à l'origine Pointe Maligne, c'est la mémoire des peuples fondateurs, amérindiens et français, qui fut effacée.

C'est le commentaire que faisait le jury qui a décerné le Prix littéraire du Gouverneur général 2009 à Nicole V. Champeau pour son récent ouvrage sur le fleuve Saint-Laurent dans sa partie ontarienne, à partir du lac Saint-François en remontant vers Cornwall (Pointe Maligne) jusqu'aux Mille-Îles. Les lecteurs devineront à ce commentaire que ce livre nous mène sur un terrain quelque peu insécurisant pour l'universitaire que je suis. S'il s'appuie sur les cartes et les écrits, le périple auquel nous invite l'auteure s'écarte en effet volontiers de la matière et des méthodes qu'affectionne la science pour nous confronter à sa propre expérience du lieu et à celle qu'elle prête à ceux qui l'ont parcouru, durant le Régime français plus particulièrement. Les paysages d'hier et d'aujourd'hui se superposent dans son regard, qui brouille ainsi tout repère temporel. S'y entremêlent donc d'une façon assez unique les divers fils qui tissent aujourd'hui la mémoire du lieu et son patrimoine, même modifié.

Un premier ouvrage[1] abordait l'expérience de ceux qui ont vécu de façon intime l'aménagement de la Voie maritime du Saint-Laurent, qui a entraîné, au tournant des années 1950, l'engloutissement des rapides du Long-Sault et de sept villages riverains. Rappelant, à l'aide de témoignages, l'expérience des milliers de personnes relocalisées dans la foulée de ce grand projet, l'auteure nous invitait déjà à ne pas oublier les paysages qui les avaient vues naître et grandir, ainsi que plusieurs générations de leurs ancêtres.

L'auteure nous convie à nouveau dans ce qui fut un haut lieu de la présence française en Amérique, comme en témoignent les nombreux toponymes qu'il a inspirés. Isle aux deux Testes, Anse à la Mort, Pointe aux Herbes, Anse au Gobelest, Pointe au Citron, Anse au Corbeau, Isle à la Cuisse, Isle aux Mille Roches, Isle aux Galots, Isle Magdeleine, Isle au Batteau, Isle aux Perches, etc., autant de noms que rappelle Nicole V. Champeau pour qu'on en saisisse la beauté. Ces lieux ont presque tous disparu de la mémoire des cartes, qui, depuis le peuplement loyaliste de la région, évoquent d'autres réalités, où le fleuve et son parcours semé d'embûches sont moins prégnants. Il lui a donc fallu les retracer sur des cartes plus anciennes, qui remontent à la période où la région était davantage terre de passage que de colonisation. Elle en a cherché les descriptions dans les récits de voyage, relations, essais, et autres écrits des missionnaires, explorateurs, militaires et commerçants qui l'ont parcourue, documents qu'elle a utilisés comme autant de témoins du passé, de voix qui révèlent les émotions ressenties sur la route du fleuve. Les citations viennent de plusieurs personnages bien connus de notre histoire : Xavier de Charlevoix, les pères Ragueneau, Chaumont et Dablon, le comte de Frontenac, Robert Cavelier de La Salle, Pierre Esprit Radisson, le baron de Lahontan, le chevalier de la Pause, Gédéon de Catalogne, Joseph-Gaspard Chaussegros de Léry. Empruntant à même ces différentes sources, *Pointe Maligne, l'infiniment oubliée* évoque la chevauchée qu'était – qu'est encore dans les yeux de l'auteure – celle du Long-Sault et des rapides troubles en amont, les glaces, les mouillages et les vents, « les batteaux [*sic*] qui embardent, les passages effroyables », les bouillons qui « sautent de 12 à 15 pieds de haut, les eaux violentes » pour que demeurent quelques traces de leur souvenir.

Nicole V. Champeau a ainsi dépouillé de multiples documents d'archives, ce qui fait de l'ouvrage un important travail d'érudition. Mais aussi, comme elle le dit elle-même en introduction, elle a passé avec son compagnon, Thomas Champeau, des heures à observer le fleuve, depuis de multiples points sur ses rives. « Nous en avons longuement interrogé le mystère et imaginé sous son apparence de calme ce qu'il porte de turbulence. » Ce qui place le livre dans un tout autre registre, celui de l'introspection et des questions existentielles. Ce qui est à la fois inusité et heureux. Quelques passages agacent toutefois, parmi lesquels celui où, dans la cinquième partie de l'ouvrage, on évoque les questionnements prêtés à une résidente du lieu qui s'y serait suicidée il y a quelques années. Le livre, qui fait 376 pages, serait-il trop long ? Que viennent y faire la sixième partie et le Marché francophone de la poésie, tenu à Montréal en 2003, si ce n'est de pouvoir associer au fleuve une identité franco-ontarienne en péril[2] ?

Si l'on oublie ces quelques pages à mon avis tout à fait inutiles, voire nuisibles à la merveilleuse œuvre de mémoire à laquelle Nicole V. Champeau se livre ici, l'ouvrage rappelle avec brio ce pan d'histoire souvent méconnu que fut la navigation sur le fleuve aux environs de Cornwall, à l'origine Pointe Maligne, aux XVIIe et XVIIIe siècles. En s'intéressant moins aux faits d'armes et autres manifestations des conflits qui opposaient autochtones, Français et Anglais dans la région qu'aux lieux et aux paysages, l'auteure se fait volontiers géographe. Un deuxième tome est annoncé, *Pointe Maligne : textes choisis*, qui présentera un choix de textes plus longs, de cartes et d'illustrations qui viendront étayer le premier tome. Je l'attends avec impatience, afin de pouvoir m'immerger à nouveau dans ce lieu qu'elle contribue si habilement à faire revivre.

NOTES

---

1. Nicole V. Champeau, *Mémoire des villages engloutis*, Ottawa, Éditions du Vermillon, 1999 ; nouv. éd. augm., 2004.
2. Sur cette dimension de l'œuvre de Nicole V. Champeau, voir Lucie Hotte, « La mémoire des lieux et l'identité collective en littérature franco-ontarienne », dans Anne Gilbert, Michel Bock et Joseph Yvon Thériault (dir.), *Entre lieux et mémoire : l'inscription de la francophonie canadienne dans la durée*, Ottawa, Les Presses de l'Université d'Ottawa, 2010, p. 337-367.

PAYSAGES IMAGINAIRES D'ACADIE : UN ATLAS LITTÉRAIRE

Sous la direction de Marie-Linda Lord
et Denis Bourque
(Moncton, Institut d'études acadiennes et
Chaire de recherche en études acadiennes, 2009, 143 p.,
collection « Pascal-Poirier »)

Lucie HOTTE
Chaire de recherche sur les cultures et les littératures francophones
du Canada, Université d'Ottawa

Les beaux livres sont choses rares dans les littératures minoritaires car les éditeurs n'ont souvent pas les moyens financiers pour se lancer dans la publication d'ouvrages cartonnés en couleurs. La parution de *Paysages imaginaires d'Acadie : un atlas littéraire* est donc l'occasion de se réjouir. Le livre est très beau, tout en couleurs avec de nombreuses photos, des reproductions de pages de manuscrits d'auteurs, de tableaux d'artistes visuels et de plusieurs cartes géographiques. Le sujet s'y prêtait puisque l'ouvrage porte sur les paysages imaginaires, non pas exclusivement ceux de l'Acadie mise en scène dans les textes, mais bien tous ceux, de l'Acadie ou d'ailleurs, présents dans des textes d'écrivains acadiens. L'idée de ce livre revient à Marie-Linda Lord et Denis Bourque. Ils en assurent la direction et signent, avec James de Finney, une excellente introduction qui offre un survol éclairant du développement de la littérature acadienne des origines à nos jours, en mettant l'accent sur la représentation de l'espace.

Six auteurs font l'objet des chapitres qui suivent cette introduction. Ce sont les grands noms de la littérature acadienne actuelle : Antonine Maillet, Gérald Leblanc, Herménégilde Chiasson, Jacques Savoie, France Daigle et Serge Patrice Thibodeau. Les chapitres sont signés par d'éminents chercheurs du Nouveau-Brunswick et de l'Europe et par deux jeunes chercheuses de la relève. Il est toutefois étrange que leurs noms n'apparaissent pas à la table des matières ni sous le titre des chapitres. Il faut plutôt se rendre à la fin de chaque chapitre pour en connaître l'auteur. L'ordre dans lequel les chapitres apparaissent n'est pas explicité, mais il semble que ce soit par ordre chronologique de publication d'un premier ouvrage. Cependant, il y a une évidente progression, à l'intérieur de la production littéraire étudiée, vers une esthétisation de l'espace, qui devient, d'une œuvre à l'autre, soit plus abstrait, soit plus subjectif. L'espace est abordé, dans tous les chapitres, en fonction de différents axes, souvent dialectiques : 1) l'espace réel en relation avec l'espace imaginaire, voire symbolique ; 2) l'Acadie et l'ailleurs ; 3) le centre en lien avec la périphérie ; 4) les déplacements, les voyages, l'exil et l'émigration. Chaque chapitre cerne comment, dans l'imaginaire de l'écrivain en question, ces figurations et ces dialectiques prennent des formes et des significations différentes.

Deux types de lieux sont donc abordés dans les textes : les lieux réels, qui sont représentés de façon réaliste ou plus symbolique dans les œuvres des écrivains à l'étude, ou encore les lieux fictifs, sans lien direct avec la réalité, mais ce sont les premiers qui sont privilégiés. Ainsi, le chapitre portant sur Antonine Maillet nous présente la transposition des lieux réels dans l'œuvre maillettienne. Marie-Linda Lord analyse les oppositions qui structurent cet espace littéraire : celle entre la côte et la ville, qui est aussi une opposition entre la campagne et la ville, et celle entre l'Acadie et Montréal. Elle montre comment l'œuvre d'Antonine Maillet transforme l'espace acadien réel pour en faire le lieu d'un ancrage identitaire : « le "pays" habité par des Acadiens devient un espace d'appartenance, d'enracinement, chargé de sens et de mémoire, la consécration d'un territoire identitaire dans le territoire officiel » (p. 38). Le chapitre consacré à Gérald Leblanc souligne aussi l'omniprésence de la toponymie réaliste – qui ne subit donc aucune transformation nominale dans les textes, contrairement à ce qui se passe chez Maillet – : les noms de villes, de rues, de lieux, de commerces abondent effectivement dans les œuvres du chantre de Moncton. Toutefois, ce n'est pas exclusivement l'espace monctonien, voire acadien, qui se trouve mis en scène : la ville de Moncton fréquente New York, si ce n'est Memphis, Phoenix, San Francisco ou Los Angeles. L'espace est aussi associé à la construction identitaire. Toutefois, comme le montrent bien Raoul Boudreau et Mylène White, il ne s'agit plus d'une identité ancrée dans le passé et les traditions, comme chez Maillet, mais bien d'« une mise en relief de la dimension américaine de l'identité acadienne ». Alors que Leblanc témoigne d'une « surconscience de l'espace » (p. 53) qui l'amène à multiplier les référents spatiaux, Herménégilde Chiasson s'écarte, de plus en plus, d'un recueil à l'autre, de l'espace référentiel acadien pour privilégier certains lieux – la ville, les routes et la voiture, la mer, la maison, la forêt – qui sont investis d'une dimension subjective grâce à la relation affective qui unit le « je » ou le « il » des poèmes à ces espaces. Il n'est donc pas étonnant que ces lieux soient anonymes : l'essentiel n'est pas qu'ils existent dans un hors-texte, mais bien ce qu'ils signifient pour le poète. David Lonergan le signale bien tout en tentant, à plusieurs reprises, de faire, malgré les textes, une lecture référentielle de l'imaginaire spatial de Chiasson. Jacques Savoie suit un parcours similaire à celui de Chiasson : après quelques références explicites à l'espace néo-brunswickois dans ses premiers romans, les lieux deviennent plus internationaux. Comme le dit Pénélope Cormier, peu à peu, « l'individu l'emporte sur le collectif ». Toutefois, si les lieux sont anonymes chez Chiasson, ce n'est pas le cas chez Savoie. Qu'il s'agisse d'une île islandaise ou des îles de la Madeleine, ou d'un quartier de Montréal, ces lieux restent des lieux d'exiguïté et de désolation, semblables en cela à l'Acadie. Ce sont donc des espaces éminemment symboliques. L'œuvre de France Daigle suit, en quelque sorte, un parcours inverse, d'un espace stylisé à un espace représenté. Toutefois, l'article de Jeanette den Toonder qui lui est consacré n'aborde pas cette question puisqu'il ne porte que sur les quatre romans les plus récents de l'auteure. Ici, l'espace est abordé en lien avec les personnages, avec leur façon de vivre l'espace – qu'illustre, par exemple, l'agoraphobie de la narratrice de *Pas pire* –, avec leurs déplacements et leurs voyages, dans une quête constante d'harmonie entre mouvement et repliement. Chez Serge Patrice Thibodeau, le mouvement est aussi central. Les lieux explorés dans l'écriture le sont aussi physiquement par le « je » mis en scène. Il s'agit fréquemment de lieux exotiques : l'Inde, Israël, la Jordanie et le désert, Prague… Cependant, comme chez Chiasson, Savoie et Daigle, c'est un espace investi par une subjectivité, déterminé par le rapport entre l'humain et le géographique. Aussi, comme le note Manon Laparra-Villemonte de La Clergerie, peut-on distinguer deux types de lieux chez Thibodeau : les lieux bénéfiques et les lieux hostiles.

Ainsi, alors que par sa facture très belle, le livre semble d'entrée de jeu s'adresser au grand public qui s'intéresse à la littérature de l'Acadie et qui voudra suivre la piste des personnages de ses livres préférés, les chapitres, comme nous venons de le voir, par leur contenu, tiennent souvent plus de l'analyse savante que de la vulgarisation ; certains auraient pu être publiés dans des revues savantes, d'autres sont véritablement des textes accessibles au grand public tout en conservant la rigueur du texte savant, alors que d'autres encore se rapprochent plus du texte journalistique. Difficile donc de décider quel public est visé par l'ouvrage. Peu importe, en fait, puisque tous les amateurs de littérature acadienne, spécialistes ou non, se délecteront de cet ouvrage qui permet de voyager dans l'espace imaginaire de six talentueux écrivains, avant de se mettre à les relire.

ENTRE LIEUX ET MÉMOIRE : L'INSCRIPTION DE LA FRANCOPHONIE CANADIENNE DANS LA DURÉE

sous la direction d'Anne Gilbert, Michel Bock et Joseph Yvon Thériault
(Ottawa, Les Presses de l'Université d'Ottawa, 2009, 367 p., collection « Amérique française »)

Kenneth MEADWELL
Université de Winnipeg

Issu d'un colloque tenu en 2006 au Centre interdisciplinaire de recherche sur la citoyenneté et les minorités (CIRCEM) à l'Université d'Ottawa, *Entre lieux et mémoire : l'inscription de la francophonie canadienne dans la durée* offre des voies d'investigation sur l'histoire, la géographie et les arts du Canada français, et ce, dans le contexte des lieux de la mémoire qui reconstituent un certain passé identitaire collectif. À l'instar de Pierre Nora, dont l'œuvre magistrale qu'il a dirigée, *Les Lieux de mémoire*, et publiée en volets (*La République*, 1984 ; *La Nation*, 1986 ; *Les France*, 1992), examine les rapports entre la mémoire nationale et les lieux qui peuvent l'incarner, cette collection d'essais dévoile une pluralité de voix, de lieux et de perspectives à travers lesquels la francophonie canadienne existe dans la durée, dans le flux et le reflux du temps et de la mémoire.

La géographie de la francophonie canadienne se caractérise par des relations particulières entre lieux et vécu, entre repères mémoriels et tradition et modernité et, parfois même, par son inscription dans l'intemporalité, d'où le besoin de l'enracinement dans ce passé, garant de l'ouverture vers l'avenir. Ces constats alimentent les regards jetés sur les lieux de mémoire afin de faire ressortir la spécificité régionale, mais aussi nationale d'une identité qui veut s'affirmer pour mieux instaurer l'unicité de son lieu physique, historique, politique, culturel et symbolique, en solidarité avec la francophonie canadienne transnationale. Cet ouvrage offre ainsi des points de repère sur le devenir de la francophonie canadienne, qui élucident les moyens par lesquels les diverses communautés et les espaces variés inscrivent ces repères dans la mémoire identitaire, car « la fondation du lieu de mémoire est un acte politique » (p. 10).

Les quinze collaborateurs ont regroupé leurs études autour de trois problématiques : la mémoire ou le regard historique, le lieu ou le regard géographique et la mise en récit par les arts et les lettres. Le premier volet fait état des sources historiques de la mémoire, de la commémoration des événements d'importance historique et, en fin de compte, de leur rôle discursif et politique. Il est donc question de la bataille du Long-Sault, de la commémoration des patriotes, du lieu mémoriel hautement significatif du village de Saint-Denis-sur-Richelieu où s'est déroulée la seule victoire des patriotes sur les militaires anglais, du rôle de la fête du Canada sur la Colline du Parlement dans la construction de l'identité nationale ou encore de l'inventaire des lieux de mémoire de la Nouvelle-France. Ces lieux soulignent la problématique de la mémoire, un enjeu à la fois identitaire et politique. Les regards jetés sur les lieux de mémoire dans le deuxième volet font ressortir l'importance de la définition de territoires, porteurs d'identité collective. La dimension culturelle du lieu de mémoire est une force qui dirige vers la perspective politique, au détriment de laquelle la mondialisation peut banaliser le sens historique premier du lieu. À titre d'exemple, Québec, ville inscrite sur la liste du patrimoine mondial de l'UNESCO, est au cœur d'une tension entre le statut patrimonial du lieu de mémoire dans l'identité francophone canadienne et l'identité sociale qu'elle porte grâce à son universalité. En outre, le paysage qui se lit comme un texte, tel celui des Chaudières, à la frontière de Gatineau et d'Ottawa, fait partie du patrimoine canadien et représente un hommage aux cultures fondatrices du pays. Associant géosymbole et paysage, les églises catholiques au Québec, désaffectées, soulignent la difficulté de maintenir leur valeur patrimoniale car, au présent, elles servent de lieu de rencontre lors d'activités communautaires diverses. Enfin, le troisième volet présente les moyens par lesquels les créateurs de l'Acadie, du Manitoba, de l'Ontario et du Québec attirent l'attention de leur collectivité sur les réalisations spatio-temporelles de la mémoire. La commémoration du Grand Dérangement fait de l'Acadie le lieu de la mémoire où reconnaissance, réparation et pardon sont au premier plan. Au Québec, les plaques d'immatriculation peuvent inviter à une fragmentation mémorielle, tant est ambiguë la commémoration à laquelle convie la devise « Je me souviens ». Le théâtre franco-manitobain est ancré dans certains lieux de mémoire, les mythes d'origine, dont l'importance discursive se réactualise au fil des ans et au gré des transformations communautaires. Enfin, là où la littérature franco-ontarienne est ancrée dans le passé, elle peut suppléer au manque d'espaces réels par l'entremise d'espaces imaginaires. Qui plus est, il est à noter que les activités esthétiques et esthétisantes portent en elles-mêmes la mémoire, source d'inspiration discursive qui nous situe à la fois dans le passé et dans le présent, tout en s'ouvrant sur l'avenir. L'entrecroisement de tous ces regards, du sujet, de l'objet et de l'observateur, met en relief l'intérêt que suscite toute tentative de rendre compte de la voix du passé, comme celle du présent qui se fait entendre au sein de la francophonie canadienne dans les lieux physiques et métaphoriques de la mémoire collective.

En somme, la pluralité des perspectives, des contextes et des exemples présentés dans *Entre lieux et mémoire : l'inscription de la francophonie canadienne dans la durée* met en relief l'unicité de l'expérience entre lieux et mémoire au Canada francophone et les enjeux identitaires qui s'opposent sans cesse à l'effacement rendu impossible grâce aux regards probants des collaborateurs de ce beau volume.

CENT ANS DE LEADERSHIP FRANCO-ONTARIEN

textes réunis et présentés par Paul-François Sylvestre à l'occasion du 100e anniversaire de la première représentation franco-ontarienne
(Ottawa, Éditions David, 2010, 147 p.)

Johanne Melançon
Université Laurentienne

L'année 2010 marque le centième anniversaire de la fondation de l'Association canadienne-française d'éducation de l'Ontario (ACFEO), aujourd'hui l'Assemblée de la francophonie de l'Ontario (AFO), après avoir été connue sous les appellations d'Association canadienne-française de l'Ontario et d'Assemblée des communautés franco-ontariennes (ACFO). Les éditions David soulignent cet anniversaire en publiant un ensemble de textes réunis et présentés par Paul-François Sylvestre, sous le titre *Cent ans de leadership franco-ontarien*. En fait, il s'agit d'un choix de dix textes de présidents et de présidentes du premier organisme qui s'est donné pour mission de lutter pour les droits des Franco-Ontariens. Près de la moitié de l'ouvrage est constitué de textes d'appui : préface, avant-propos, introduction, chronologie, huit appendices, bibliographie et liste des illustrations.

La préface de la ministre déléguée aux Affaires francophones, Madeleine Meilleur, qui tient davantage du message politique, souligne le « véritable exercice de mémoire collective » (p. 9) que constitue l'ouvrage. L'avant-propos de Paul-François Sylvestre, quant à lui, rappelle les circonstances de la fondation de l'organisme, décrit l'ouvrage et explique le projet. Ainsi, on sait d'emblée que « [c]e livre ne prétend pas brosser un portrait exhaustif de L'ACFEO/ACFO/AFO, bien au contraire. Il ne s'agit pas, non plus, d'offrir une anthologie complète du discours franco-ontarien, encore moins une analyse minutieuse d'une institution centenaire » (p. 12).

Cet « album de souvenirs » (p. 12), selon les mots du compilateur, propose tout de même une introduction qui énumère les textes choisis et tente de cerner l'évolution de l'organisme qui serait passé « d'un dossier unique » – l'éducation – « à une société multiple » en s'engageant dans des débats, liés à la langue, touchant la justice et la santé (p. 19). Ce rappel en guise d'introduction est suivi d'une chronologie, de la fondation de l'ACFEO, tout juste avant la promulgation du Règlement XVII, jusqu'à la campagne de promotion des services en français de l'organisme en 2009. Le lecteur en arrive ainsi au corps de l'ouvrage, soit les dix chapitres qui correspondent aux dix textes retenus par Paul-François Sylvestre. Ces textes, donnés comme étant représentatifs de chacune des décennies de l'organisme, n'ont pas de lien entre eux, si ce n'est leur succession chronologique. Pour chacun, l'historien a choisi de mettre en exergue un extrait d'un texte littéraire de la même époque. Chaque texte est ensuite très brièvement résumé, contextualisé et est précédé d'une courte biographie de son auteur. Toutefois, certaines de ces données factuelles sont redondantes avec la chronologie et des éléments d'analyse le sont avec l'introduction. Par ailleurs, il est difficile d'évaluer le choix des textes comme tel, à moins de fouiller les archives de l'ACFEO/ACFO/AFO. Dans son introduction, Paul-François Sylvestre nous indique néanmoins ce qui a pu guider son choix. Certes, les textes retenus ne se démarquent pas par leurs qualités littéraires, la plupart de ceux-ci (discours, allocutions, extrait de conférence ou participation à une table ronde) ayant été destinés à être lus en public. Cependant, ils permettent de cerner les idéologies qui ont guidé, à différentes époques, l'organisme, et de dégager les arguments qui ont nourri certaines de ses stratégies. Ainsi, la lettre de l'honorable Philippe Landry à l'archevêque de Québec en 1918, dans laquelle il sollicite la « fraternelle participation » du diocèse afin d'amasser de l'argent pour aider l'ACFEO à combattre le Règlement XVII, témoigne de cette conviction que les « Français catholiques de la Confédération canadienne appartiennent tous à une même et grande famille » (p. 39). On ne peut que noter combien ce discours contraste avec celui de Jean Tanguay qui fustige les Québécois, en 1993, et réclame avec verve un statut de « partenaire naturel » pour les francophones de l'Ontario et des autres provinces. On notera aussi le changement de ton, avec le rapport de Me Roger N. Séguin, un homme d'affaires, qui, en 1960, semble amorcer un virage pour inclure des préoccupations économiques et faire prendre conscience de l'importance de cet aspect dans les revendications des Franco-Ontariens.

La suite de l'ouvrage est constituée d'appendices divers : un retour sur les origines (qui aurait pu être intégré à l'introduction), plusieurs données factuelles comme la liste des présidents et présidentes, leurs notes biographiques (deux appendices qui auraient pu être réunis), la liste des chefs de secrétariat, secrétaires généraux et directeurs généraux, les différentes adresses du siège social, un texte notant le passage de l'ACFO à l'AFO, une brève chronologie de l'histoire de l'Ontario français (à laquelle aurait pu s'intégrer la chronologie de l'organisme) et, enfin, une liste des personnes mentionnées dans l'ouvrage (sans toutefois inclure de renvois aux pages correspondantes). Une bibliographie très succincte et une liste d'illustrations complètent le livre dont la page couverture consiste en un échiquier, où le vert domine, de 14 personnalités ayant œuvré au sein de l'organisme, dont neuf des signataires des dix textes choisis.

Somme toute, *Cent ans de leadership franco-ontarien* est certainement le fruit d'une cueillette minutieuse de documents et d'une lecture attentive de plusieurs lettres, notes en vue de discours, discours, rapports, allocutions, conférences, etc., mais l'ouvrage nous propose beaucoup d'information parfois de façon redondante et nous donne peu de balises, même dans l'introduction, pour amorcer une véritable réflexion. Ce n'était pas son objectif, mais après tout ce travail, quelques pistes auraient certes été faciles à formuler. Une analyse, même sans être minutieuse, aurait été on ne peut plus à propos, surtout après les changements qu'a connus l'organisme au cours de la dernière décennie. Il n'est malheureusement pas certain que les « quelques pistes d'exploration [...] proposées dans la bibliographie » (p. 12) soient suffisantes pour que les lecteurs et les lectrices aient « le goût de fouiller un peu plus » (p. 12).

À TABLE EN NOUVELLE-FRANCE : ALIMENTATION POPULAIRE, GASTRONOMIE ET TRADITIONS ALIMENTAIRES DANS LA VALLÉE LAURENTIENNE AVANT L'AVÈNEMENT DES RESTAURANTS

Yvon Desloges, avec la collaboration
de Michel P. de Courval
(Québec, Septentrion, 2009, 231 p.)

Geneviève SICOTTE
Université Concordia

Si elle est en Europe au cœur des débats sociaux depuis maintes décennies, la question du patrimoine alimentaire n'a été soulevée que récemment en Amérique du Nord et particulièrement au Québec. On a, en fait, longtemps jugé que la nature même de la culture alimentaire canadienne-française, relativement peu variée, d'une durée historique somme toute limitée, et soumise à des influences allogènes qui en mitigeaient l'originalité, justifiait ce désintérêt. Mais depuis les années 1980, des mouvements de valorisation de la culture alimentaire populaire, en Amérique du Sud et aux États-Unis particulièrement, ont permis de redéfinir ce qui constitue un patrimoine gastronomique typique des territoires postcoloniaux, dont le Nouveau Monde. Ce patrimoine n'est plus déterminé par la seule référence à l'origine, que ce soit celle de la collectivité, des produits ou des rites, et on n'y retrouve pas les mêmes ancrages symboliques que dans les traditions gastronomiques européennes. Il s'érige bien en faisant fonds des ressources traditionnelles et des usages populaires, mais en accueillant aussi les transformations que sont l'urbanisation, les métissages, la circulation, voire l'industrialisation des produits, ainsi que les modifications modernes des sociabilités. S'il existe quelque chose comme un patrimoine alimentaire propre à la Nouvelle-France et qu'il est possible d'en faire l'histoire, ce sera évidemment en mettant en jeu une telle approche renouvelée.

C'est en partie dans cette entreprise de reconnaissance du patrimoine que se situe l'ouvrage d'Yvon Desloges (qui constitue le catalogue de l'exposition *À Table ! Traditions alimentaires au Québec*, présentée au Musée du Château Ramezay du 10 novembre 2009 au 6 septembre 2010). Cet ouvrage comprend une mine de renseignements concernant les usages alimentaires au début de la colonie. L'auteur s'attache à décrire les aliments consommés par les colons, leurs modes de préparation et de consommation et, jusqu'à un certain point, les diverses sociabilités alimentaires ayant cours à l'époque. La période historique visée est limitée à la Nouvelle-France, avec une légère extension en fin de période que l'auteur justifie en arguant du changement lent des usages après la fin du Régime français.

L'auteur expose d'abord, à la suite des descriptions qu'en ont donné les observateurs des débuts de la Nouvelle-France (Cartier, Roberval, Lescarbot, Khalm et d'autres), les grandes constantes de l'alimentation amérindienne. Cette alimentation est marquée par la présence des « trois sœurs » – le maïs, les haricots et la courge –, auxquelles s'ajoutent, selon les régions, le produit de la chasse ou de la pêche. Ces ressources servent à confectionner toutes les variantes de la sagamité, bouillie de maïs agrémentée de courge, de viande ou de poisson, de graines de tournesol ou de fèves. Le voisinage des Amérindiens et des Blancs provoque dès ces années des transferts culturels. Ainsi, le maïs trouve-t-il sa place dans l'alimentation coloniale du XVIIe siècle (en particulier sous la forme du maïs soufflé !) ; inversement, de nombreuses nations amérindiennes adoptent la culture de pois venus d'Europe en remplacement de leurs fèves traditionnelles. Par contre, on ne saurait nier l'existence de deux régimes distincts, et l'auteur fait bien ressortir les différences qui éloignent les mangeurs amérindiens des Blancs. L'absence de sel et d'alcool, la consommation festive de graisse, la nature des breuvages, les horaires des repas et les manières de table constituent autant de points où les Européens font valoir des jugements qui tracent les contours de sensibilités gastronomiques très distinctes et dont la rencontre, sans parler du métissage, demeure problématique.

Les chapitres suivants s'intéressent aux anciens Canadiens et décrivent les aliments de base des premiers colons, la diffusion des importations et, enfin, les régimes alimentaires que l'on peut estimer typiques des milieux rural et urbain. Comme en France, le repas populaire s'organise autour des deux composantes essentielles que sont la soupe et le pain. Quant au reste du régime, il est dominé en ce qui concerne les protéines par la viande de bœuf (la chasse ne fournit qu'un apport carné marginal), par le poisson, dont la consommation s'inscrit dans le cadre des obligations de jeûne imposées par l'Église, et par le lard, qui fait office de source lipidique. En plus de l'ordinaire des habitants issu de la transformation des ressources locales, les importations sont étonnamment nombreuses : riz, anchois, oranges et citrons, amandes et fruits secs, vin, eau-de-vie et fromages arrivent au port de Québec et garnissent les tables des habitants les plus aisés de la ville. Ces importations connaîtront, avec le début de la colonie britannique, des évolutions attribuables au désir des nouvelles élites de retrouver des produits familiers, et alors condiments, vinaigre, épices et sucres de toutes les provenances s'ajouteront à la liste des produits fins. Il ne semble pas que ces aliments aient trouvé un terreau d'accueil si favorable du côté des Canadiens, hormis pour le sucre et le rhum qui font alors évoluer le régime des premiers colons.

Il est intéressant de remarquer que, dès le XVIIIe siècle, les habitants délaissent le maïs emprunté aux Amérindiens pour lui préférer le blé, mieux panifiable, ce qui tend à montrer que l'adoption de certains aliments autochtones était née de la contrainte plus que du choix. Un déplacement d'un autre ordre touche les produits de l'érable. Ce n'est, en effet, que grâce à l'emploi de vaisseaux de cuisson en métal, dont les Amérindiens ne disposaient pas avant l'arrivée des Européens, que pourront être confectionnés le sirop et le sucre d'érable. Ainsi, une ressource locale est-elle transformée d'une façon nouvelle, et ses usages se trouvent appropriés et métissés. Mais il semble, en fin de compte, que bien peu de produits locaux aient subi une telle transformation, les influences amérindiennes sur la diète des colons ayant été fort limitées. C'est sans doute davantage du côté britannique, et donc ultérieurement au cours du XIXe siècle, qu'il faudrait chercher des éléments ayant infléchi de manière significative l'alimentation canadienne traditionnelle.

Dans la dernière partie de l'ouvrage, on trouve des recettes dont la plupart sont tirées d'ouvrages de cuisine français de l'époque, bien que certaines proviennent de rares sources canadiennes. Les amateurs pourront confectionner un repas à la mode de la Nouvelle-France qui ne les dépaysera pas vraiment, tant il est vrai que la cuisine traditionnelle, transmise, par exemple, par les ouvrages classiques de Jehane Benoît, s'inscrit en relative continuité avec l'héritage colonial.

On retiendra surtout de cet ouvrage la somme d'informations qu'il regroupe dans une continuité pertinente et plausible. Par contre, l'abondance factuelle entraîne parfois le texte du côté de la liste de données relativement brutes. Les représentations et les systèmes de croyances sont abordés au passage (par exemple, par l'entremise de la médecine humorale), mais, globalement, l'inscription du fait alimentaire dans des systèmes de savoirs et dans des discours critiques, qu'ils concernent par exemple la médecine, l'économie, la sociologie ou l'urbanisme, est peu étudiée. Cela indique peut-être simplement, et la chose n'a rien pour surprendre, que l'étude de notre histoire alimentaire n'est pas encore entrée dans sa maturité. Aux chercheurs de poursuivre le travail entamé ici, dans le but non pas de faire de l'histoire de l'alimentaire un objet de fétichisation ou de commémoration folklorique, mais afin de mieux comprendre la construction passée et actuelle d'une partie essentielle de notre patrimoine.

Publications et thèses soutenues (2008-2010)

Angela SCHROEDER
Université de Waterloo

Cette bibliographie, partielle, comprend exceptionnellement des livres publiés et des thèses soutenues depuis 2008, puisque *Francophonies d'Amérique* n'avait pas pu faire paraître une telle bibliographie au cours des dernières années. Il nous a donc fallu être sélective. Nous nous sommes concentrée sur les aires culturelles suivantes : le Canada français, le Québec, l'Acadie, les États-Unis, les Antilles et Haïti, en maintenant une approche multidisciplinaire. Enfin, les œuvres littéraires, trop nombreuses, n'ont pas fait l'objet du recensement.

Les titres précédés d'un astérisque font l'objet d'une recension dans le présent numéro.

Nous tenons à remercier François Paré de ses conseils pendant la réalisation de ce projet.

LIVRES

ADER-MARTIN, Claude. *Pour quelques arpents de glace : l'aventure des colons français à Québec et en Nouvelle-France*, Bordeaux, Éditions Elytis, 2008, 179 p.

AGBOBLI, Christian (dir.). *Quelle communication pour quel changement ? Les dessous du changement social*, Québec, Presses de l'Université du Québec, 2009, 288 p.

ALI-KHODJA, Mourad, et Annette BOUDREAU. *Lectures de l'Acadie : une anthologie de textes en sciences humaines et sociales (1960-1994),* suivi de *Réflexions sur les savoirs en milieu minoritaire*, Montréal, Fides, 2009, 642 p.

ALLARD, Réal, Rodrigue LANDRY et Kenneth DEVEAU. *Et après le secondaire ? Étude pancanadienne des aspirations éducationnelles et intentions de faire carrière dans leur communauté des élèves de 12ᵉ année d'écoles de langue française en situation minoritaire*, Moncton, Institut canadien de recherche sur les minorités linguistiques, avec la collaboration de l'Association des universités de la francophonie canadienne et de la Fondation canadienne des bourses d'études du millénaire, 2009, 144 p.

ARSENAULT, Georges. *La Mi-Carême en Acadie*, Tracadie-Sheila, La Grande Marée, 2008, 160 p. (Publié aussi en anglais sous le titre : *Acadian Mi-Carême: Masks and Merrymaking*, Charlottetown, The Acorn Press, 2009, 164 p.)

ATALLA, Nora (dir.). *Là où se rétrécit le fleuve : Québec et la francophonie : poésie*, Québec, Éditions Écritout, 2008, 96 p.

BARONIAN, Luc, et France MARTINEAU (dir.). *Le français d'un continent à l'autre : mélanges offerts à Yves Charles Morin*, Québec, Les Presses de l'Université Laval, 2009, 522 p., coll. « Les voies du français ».

BARRÈRE-MAURISSON, Marie-Agnès, et Diane-Gabrielle TREMBLAY (dir.). *Concilier travail et famille : le rôle des acteurs France-Québec*, Québec, Presses de l'Université du Québec, 2009, 464 p.

BASALAMAH, Salah. *Le droit de traduire : une politique culturelle pour la mondialisation*, Ottawa, Les Presses de l'Université d'Ottawa, 2009, 498 p., coll. « Traduction ».

BEAUDET, Jean-François. *Dans les filets du diable : les coureurs de bois et l'univers religieux amérindien*, Montréal, Médiaspaul, 2009, 128 p.

BEAUDOIN, Louise, et Stéphane PAQUIN (dir.). *Pourquoi la francophonie ?*, Montréal, VLB éditeur, 2008, 236 p.

BÉGIN, Pierre-Luc (dir.). *Le génocide culturel des francophones au Canada : synthèse du déclin du français au Canada*, Québec, Éditions du Québécois, 2010, 52 p., coll. « Essais Québec libre ».

BEHIELS, Michael D. *La francophonie canadienne*, Ottawa, Les Presses de l'Université d'Ottawa, 2008, 432 p., coll. « Amérique française ».

BÉLANGER, Nathalie, *et al.* (dir.). *Produire et reproduire la francophonie en la nommant*, Sudbury, Prise de parole, 2010, 366 p., coll. « Agora ».

BENESSAIEH, Afef (dir.). *Amériques transculturelles = Transcultural Americas*, Ottawa, Les Presses de l'Université d'Ottawa, 2010, 256 p., coll. « Transferts culturels ».

BÉNÉTEAU, Marcel, et Peter W. HALFORD. *Mots choisis : trois cents ans de francophonie au Détroit du lac Érié*, Ottawa, Les Presses de l'Université d'Ottawa, 2008, 532 p., coll. « Amérique française ».

BÉRARD, Stéphanie. *Théâtre des Antilles : traditions et scènes contemporaines*, préface d'Ina Césaire, Paris, L'Harmattan, 2009, 222 p.

BERNARD, Shane K. *Cajuns and Their Acadian Ancestors: A Young Reader's History*, Jackson, University Press of Mississippi, 2008, 96 p.

BISCHOFF, Peter. *Les débardeurs au port de Québec*, Montréal, Hurtubise HMH, 2009, 500 p.

BOISSONNEAULT, Julie. *Enjeux de la médiatisation à l'université : représentations dans la pratique professorale*, Sudbury, Prise de parole, 2009, 230 p., coll. « Épistémè ».

BOIVIN, Aurélien, et Bruno DUFOUR (dir.). *Les identités francophones : anthologie didactique*, Québec, Publications Québec français, 2008, 301 p.

BOUCHAMMA, Yamina (dir.). *L'intervention interculturelle en milieu scolaire*, Lévis, Éditions de la Francophonie, 2009, 194 p.

BOUDREAU, Éphrem. *Glossaire du vieux parler acadien : mots et expressions recueillis à Rivière-Bourgeois (Cap-Breton)*, préface d'Anselme Chiasson, illustrations de Joffrey Saint-Aubin, Saint-Jean-sur-Richelieu, Éditions Lambda, 2009, 245 p. (Réimpr. de l'éd. de Montréal, Éditions du Fleuve, 1988.)

BRIÈRE, Jean-François. *Haïti et la France 1804-1848 : le rêve brisé*, Paris, Karthala, 2008, 354 p., coll. « Tropiques ».

BRIGOULEIX, Bernard, et Michèle GAYRAL. *Ces Français qui ont fait l'Amérique*, Monaco, Éditions du Rocher, 2008, 375 p., coll. « Un nouveau regard ».

BRUN, Josette (dir.). *Interrelations femmes-médias dans l'Amérique française*, Québec, Les Presses de l'Université Laval, 2009, 254 p., coll. « Culture française d'Amérique ».

CARBONNEAU, Pauline. *Découverte et peuplement des Îles de la Madeleine*, Rosemère, Humanitas, 2009, 260 p.

CARDINAL, Linda (dir.). *Le fédéralisme asymétrique et les minorités linguistiques et nationales*, Sudbury, Prise de parole, 2009, 438 p., coll. « Agora ».

CARRIÈRE, Marie, et Catherine KHORDOC (dir.). *Migrance comparée : les littératures du Canada et du Québec = Comparing Migration: The Literatures of Canada and Québec*, Berne, Peter Lang, 2008, 358 p.

CASTILLO DURANTE, Daniel, Julie Delorme et Claudia LABROSSE (dir.). *Corps en marge : représentation, stéréotype et subversion dans la littérature francophone contemporaine*, Ottawa, L'Interligne, 2009, 227 p., coll. « Amarres ».

CASTONGUAY, Jacques. *Un trou de mémoire : la guerre froide au Québec 1945-1990*, Outremont, Carte blanche, 2009, 122 p.

CÉSAIRE, Aimé. *Discours sur le colonialisme*, Paris, Éditions Textuel, 2009, 96 p. (Réimpr. de l'éd. de Paris, Présence africaine, 1955).

*CHAMPEAU, Nicole V. *Pointe Maligne, l'infiniment oubliée : présence française dans le Haut Saint-Laurent ontarien*, Ottawa, Éditions du Vermillon, 2009, 376 p., coll. « Visages ».

CHAMPLAIN, Samuel de. *Les fondations de l'Acadie et de Québec, 1604-1611*, éd. Éric Thierry, Québec, Septentrion, 2008, 294 p., « Collection V ».

CHAMPLAIN, Samuel de. *Premiers récits de voyages en Nouvelle-France, 1603-1619*, éd. Mathieu d'Avignon, Québec, Les Presses de l'Université Laval, 2009, 408 p.

CHAPMAN, Rosemary. *Between Languages and Cultures: Colonial and Postcolonial Readings of Gabrielle Roy*, Montréal, McGill-Queen's University Press, 2009, 320 p.

CHARRON, Marc, Seymour MAYNE et Christiane MELANÇON (dir.). *Pluriel : une anthologie des voix = An Anthology of Diverse Voices*, Ottawa, Les Presses de l'Université d'Ottawa, 2008, 296 p.

CHARTRAND, Suzanne-G. *Progression dans l'enseignement du français langue première*, Québec, Publication Québec français, 2009, 55 p., coll. « Québec français ».

CHASE, Eliza Brown. *Over the Border: Acadia, the home of "Evangeline"*, Charleston, BiblioLife, 2009, 218 p. (Réimpr. de l'éd. de Boston, Osgood, 1884.)

CHAUDENSON, Robert. *Didactique du français en milieux créolophones : outils pédagogiques et formation des maîtres*, Paris, L'Harmattan, 2008, 300 p.

CHEVRIER, Michel. *The Oral Stage: A Comparative Study of Franco-Ontarian Theatre from 1970 to 2000*, Saarbrücken, VDM Verlag, 2009, 204 p.

CORMIER, Monique, et Jean-Claude BOULANGER (dir.). *Les dictionnaires de la langue française au Québec, de la Nouvelle-France à aujourd'hui*, Montréal, Les Presses de l'Université de Montréal, 2008, 440 p., coll. « Paramètres ».

CÔTÉ, Nicole, Ellen CHAPCO, Peter DORRINGTON et Sheila PETTY (dir.). *Expressions culturelles des francophonies*, Québec, Éditions Nota bene, 2008, 251 p.

COUTURIER, Anne-Marie. *L'étonnant destin de René Plourde, pionnier de la Nouvelle-France*, Ottawa, Éditions David, 2008, 414 p.

COZZENS, Frederic S. *Acadia or a Month with the Blue Noses*, Charleston, BiblioLife, 2009, 338 p. (Réimpr. de l'éd. de New York, Derby & Jackson, 1859.)

CRAIG, Béatrice, et Maxime DAGENAIS. *The Land in Between: The Upper Saint John Valley, Prehistory to World War I*, Gardiner, Tilbury House Publishers, 2009, 442 p.

DAHAB, F. Elisabeth. *Voices of Exile in Contemporary Canadian Francophone Literature*, Lanham, Lexington Books, 2009, 229 p.

DALLEY, Phyllis, et Sylvie ROY (dir.). *Francophonie: minorités et pédagogie*, Ottawa, Les Presses de l'Université d'Ottawa, 2008, 331 p., coll. « Éducation ».

D'AVIGNON, Mathieu. *Champlain et les fondateurs oubliés : les figures du père et le mythe de la fondation*, Québec, Les Presses de l'Université Laval, 2008, 558 p.

DEL POZO, José. *Les Chiliens au Québec : immigrants et réfugiés, de 1955 à nos jours*, Montréal, Éditions du Boréal, 2009, 424 p., coll. « Histoire ».

DEROCHER, Lorraine (dir.). *L'État canadien et la diversité culturelle et religieuse, 1800-1914*, Québec, Presses de l'Université du Québec, 2009, 214 p.

DESBIENS, Patrice. *L'homme invisible = The Invisible Man*, suivi de *Les cascadeurs de l'amour*, préface de Johanne Melançon, Sudbury, Prise de parole, 2008, 205 p., coll. « BCF ».

*DESLOGES, Yvon. *À table en Nouvelle-France : alimentation populaire, gastronomie et traditions alimentaires dans la vallée laurentienne avant l'avènement des restaurants*, avec la collaboration de Michel P. de Courval, Québec, Septentrion, 2009, 231 p.

DES ROSIERS, Joël. *Théories caraïbes : poétique du déracinement*, Montréal, Éditions Triptyque, 2009, 230 p.

DEVAUX, Nadège. *Louisbourg*, Tracadie-Sheila, La Grande Marée, 2009, 156 p.

DEVEAU, Kenneth, Rodrigue LANDRY et Réal ALLARD. *Utilisation des services gouvernementaux de langue française : une étude auprès des Acadiens et francophones de la Nouvelle-Écosse sur les facteurs associés à l'utilisation des services gouvernementaux en français*, Moncton, Institut canadien de recherche sur les minorités linguistiques, avec la collaboration de l'Université Sainte-Anne, 2009, 95 p.

DUBROCA, Louis. *Histoire de la Louisiane française*, Bécherel, Éditions Les Perséides, 2009, 93 p.

DUMONT, Fernand, et Serge CANTIN. *Œuvres complètes de Fernand Dumont*, Québec, Les Presses de l'Université Laval, 2008, 5 vol.

ESSIAMBRE, Linda, Pauline CÔTÉ et Nicole CHEVALIER. *L'hyperactivité au diapason de la musique et du français*, Sainte-Foy, Presses de l'Université du Québec, 2009, 140 p.

FAUCHER, Rolande. *Jean-Robert Gauthier : « Convaincre… sans révolution et sans haine »*, Sudbury, Prise de parole, 2008, 609 p.

FAUCHON, André, et Carol J. HARVEY (dir.). *Saint-Boniface, 1908-2008 : reflets d'une ville*, Saint-Boniface, Centre d'études franco-canadiennes de l'Ouest, 2008, 175 p.

FILION, Michel. *CKCH : la voix française de l'Outaouais*, Gatineau, Éditions Vents d'Ouest, 2008, 210 p., coll. « Asticou ».

FISHER, Hervé. *Québec imaginaire et Canada réel : l'avenir en suspens*, Montréal, VLB éditeur, 2008, 221 p.

FORGUES, Éric, Rodrigue LANDRY et Jonathan BOUDREAU. *Qui sont les francophones ? Analyse de définitions selon les variables du recensement*, Rapport de recherche, Ottawa, Consortium national de formation en santé (CNFS) et Institut canadien de recherche sur les minorités linguistiques, 2009, 40 p.

FRENETTE, Yves (dir.). *Centre de recherche en civilisation canadienne-française 1958-2008 : archives, recherche, diffusion*, Ottawa, Le Nordir et CRCCF, 2008, 131 p.

FROGER, Marion. *Le cinéma à l'épreuve de la communauté : le cinéma francophone de l'Office national du film 1960-1985*, Montréal, Les Presses de l'Université de Montréal, 2010, 296 p., coll. « Socius ».

FYSON, Donald, et Yvan ROUSSEAU (dir.). *L'État au Québec : perspectives d'analyse et expériences historiques*, Québec, Centre interuniversitaire d'études québécoises, 2008, 38 p., coll. « Cheminements ».

GABOURY-DIALLO, Lise. *Sillons : hommage à Gabrielle Roy*, Saint-Boniface, Éditions du Blé, 2009, 285 p., « Hors collection ».

GALLANT, Melvin. *Le Métis de Beaubassin*, Lévis, Éditions de la Francophonie, 2009, 328 p.

GALLAYS, François. *Marius Benoist (1896-1985) et la culture au Manitoba français*, Saint-Boniface, Éditions du Blé, 2009, 240 p., « Hors collection ».

GILBERT, Anne (dir.). *Territoires francophones : études géographiques sur la vitalité des communautés francophones du Canada*, Québec, Septentrion, 2010, 424 p.

*GILBERT, Anne, Michel BOCK et Joseph Yvon THÉRIAULT (dir.). *Entre lieux et mémoire : l'inscription de la francophonie canadienne dans la durée*, Ottawa, Les Presses de l'Université d'Ottawa, 2009, 367 p., coll. « Amérique française ».

GOHIER, Maxime. *Onontio le médiateur : la gestion des conflits amérindiens en Nouvelle-France*, Québec, Septentrion, 2008, 252 p.

GOULET, Daniel. *Bibliothèque et Archives nationales du Québec, un siècle d'histoire*, Montréal, Fides, 2009, 360 p.

HACHÉ, Louis. *De Tracadie à Tilley Road : 7 km d'un klondike humain*, Lévis, Éditions de la Francophonie, 2009, 194 p.

HAMEL, Jean-François, et Virginie HARVEY (dir.). *Le temps contemporain : maintenant la littérature*, Montréal, Figura : Centre de recherche sur le texte et l'imaginaire, 2009, 176 p.

HAVARD, Gilles, et Cécile VIDAL. *Histoire de l'Amérique française*, Paris, Flammarion, 2008, 731 p.

HÉBERT, Chantal. *French Kiss: Stephen Harper's Blind Date with Québec*, Toronto, Vintage Canada, 2008, 288 p.

HEBERT-LEITER, Maria. *Becoming Cajun, Becoming American: The Acadian in American Literature from Longfellow to James Lee Burke*, Bâton-Rouge, Louisiana State University Press, 2009, 216 p.

HOLTER, Karin, et Ingse SKATTUM (dir.). *La francophonie aujourd'hui : réflexions critiques*, Paris, L'Harmattan, 2008, 200 p.

*HOTTE, Lucie, et Guy POIRIER (dir.). *Habiter la distance : études en marge de* La distance habitée, Sudbury, Prise de parole, 2009, 191 p., coll. « Agora ».

HOTTE, Lucie, et Johanne MELANÇON (dir.). *Introduction à la littérature franco-ontarienne (1970-2008)*, Sudbury, Prise de parole, 2010, 279 p., coll. « Agora ».

JACQUES, Daniel. *La fatigue politique du Québec français*, Montréal, Éditions du Boréal, 2008, 160 p.

JOYAL, Serge, et Paul-André LINTEAU (dir.). *France, Canada, Québec : 400 ans de relations d'exception*, Montréal, Les Presses de l'Université de Montréal, 2008, 328 p.

KNOX, John Armoy. *Croisière d'un Américain : du lac Champlain à l'Acadie (été 1887)*, Québec, Septentrion, 2008, 168 p., « Collection V ».

LABELLE, Ronald (dir.). *Chansons acadiennes de Pubnico et Grand-Étang tirées de la collection Helen Creighton = Acadian Songs from Pubnico and Grand-Étang From the Helen Creighton Collection*, Dartmouth, Helen Creighton Folklore Society ; Moncton, Chaire de recherche McCain en ethnologie acadienne, 2008, 96 p.

LAFRANCE, Mariana. *La ville invisible : regards perdus sur Sudbury = Site Unseen: Sudbury for the Curious and Adventuresome*, Sudbury, Prise de parole, 2008, 133 p.

LAMONDE, Yvan, et Denis SAINT-JACQUES. *1937 : un tournant culturel*, Québec, Les Presses de l'Université Laval, 2009, 382 p., coll. « Cultures québécoises ».

LANDRY, Nicolas. *Plaisance, Terre-Neuve, 1650-1713 : une colonie française en Amérique*, Québec, Septentrion, 2008, 406 p.

LANDRY, Nicolas. *Une communauté acadienne en émergence : Caraquet (Nouveau-Brunswick) 1760-1860*, Sudbury, Prise de parole, 2009, 188 p., coll. « Agora ».

LEBLANC, Carmen, France MARTINEAU et Yves FRENETTE (dir.). *Vues sur les français d'ici*, Québec, Les Presses de l'Université Laval, 2010, 292 p., coll. « Les voies du français ».

LE BLANC, Charles. *Le complexe d'Hermès : regards philosophiques sur la traduction*, Ottawa, Les Presses de l'Université d'Ottawa, 2009, 155 p., coll. « Traduction ».

LEFEBVRE, Solange (dir.). *Le patrimoine religieux du Québec : éducation et transmission du sens*, Québec, Les Presses de l'Université Laval, 2009, 416 p.

LÉGER, Roger, et Léon THÉRIAULT (dir.). *Agenda historique acadien : 1604-1755*, Saint-Jean-sur-Richelieu, Éditions Lambda, 2010, 168 p.

LÉGER, Yvon. *L'Acadie de mes ancêtres : histoire et généalogie avec cartes et illustrations*, préface de Martin-J. Légère, Saint-Jean-sur-Richelieu, Éditions Lambda, 2009, 376 p. (Réimpr. de l'éd. de Montréal, Éditions du Fleuve, 1989.)

LÉGÈRE, Martin J. *Parmi ceux qui vivent : un demi-siècle au service de l'Acadie : mémoires*, Lévis, Éditions de la Francophonie, 2009, 296 p.

LEJEUNE, Paul. *Un Français au « royaume des bestes sauvages »*, nouv. éd. rev. et augm. par Alain Beaulieu avec la collaboration d'Alexandre Dubé, Montréal, Lux éditeur, 2009, 288 p.

LELOUP, Xavier, et Martha RADICE (dir.). *Les nouveaux territoires de l'ethnicité*, Québec, Les Presses de l'Université Laval, 2008, 294 p.

LENTZ, François (dir.). *Présence de Gabrielle Roy : résonances actuelles et propositions pédagogiques*, Saint-Boniface, Centre d'études franco-canadiennes de l'Ouest, 2009, 100 p.

LÉONARD, Carol. *Mémoire des noms de lieux d'origine et d'influence françaises en Saskatchewan*, Regina, Société historique de la Saskatchewan ; Québec, Éditions GID, 2010, 648 p.

LE ROUX, Yannick, Réginald AUGER et Nathalie CAZELLES. *Loyola : les jésuites et l'esclavage*, Québec, Presses de l'Université du Québec, 2009, 300 p.

LOCKERBY, Earle, *Deportation of the Prince Edward Island Acadians*, Halifax, Nimbus Pub., 2008, 128 p.

LONERGAN, David. *Tintamarre : chroniques de littérature dans l'Acadie d'aujourd'hui*, Sudbury, Prise de parole, 2008, 365 p., coll. « Agora ».

LORD, Marie-Linda. *Lire Antonine Maillet à travers le temps et l'espace*, préface de Lise Gauvin, Moncton, Institut d'études acadiennes, 2010, 185 p., coll. « Pascal-Poirier ».

*LORD, Marie-Linda, et Denis BOURQUE (dir.). *Paysages imaginaires d'Acadie : un atlas littéraire*, Moncton, Institut d'études acadiennes et Chaire de recherche en études acadiennes, 2009, 144 p., coll. « Pascal-Poirier ».

LOUDER, Dean, et Éric WADDELL (dir.). *Franco-Amérique*, Québec, Septentrion, 2008, 378 p.

MADORE, Nelson, et Barry RODRIGUE (dir.). *Voyages: A Maine Franco-American Reader*, Gardiner, Tilbury House Publishing, 2008, 656 p.

MAGORD, André. *The Quest for Autonomy in Acadia*, New York, Peter Lang Publishing Inc., 2008, 183 p., coll. « Études canadiennes ».

MAILLET-GALLANT, Doris, et Léandre MAILLET. *Les descendants des fondateurs de la paroisse de Richibouctou-Village*, Lévis, Éditions de la Francophonie, 2009, 730 p.

MANSION, Hubert. *101 mots à sauver du français d'Amérique*, Montréal, M. Brûlé, 2008, 181 p.

MARCHAND, Philip. *L'empire fantôme de ces Français qui ont failli conquérir l'Amérique du Nord*, trad. Anne-Hélène Kerbiriou, Québec, Les Presses de l'Université Laval, 2008, 438 p.

MARSHALL, Bill. *The French Atlantic: Travels in Culture and History*, Liverpool, Liverpool University Press, 2009, 375 p.

MARTEL, Marcel, et Martin PÂQUET (dir.). *Légiférer en matière linguistique*, Québec, Les Presses de l'Université Laval, 2008, 464 p., coll. « Culture française d'Amérique ».

MARTIN, Patrice, et Christophe DREVET. *La langue française vue des Amériques et de la Caraïbe*, préface de Lise Gauvin, Léchelle, Zellige, 2009, 138 p., coll. « Lingua ».

MARTINEAU, France, Raymond MOUGEON, Terry NADASDI et Mireille TREMBLAY (dir.). *Le français d'ici : études linguistiques et sociolinguistiques sur la variation du français au Québec et en Ontario*, Toronto, Éditions du Gref, 2009, 240 p., coll. « Théoria ».

MASNY, Diana. *Lire le monde : les littératies multiples et l'éducation dans les communautés francophones*, Ottawa, Les Presses de l'Université d'Ottawa, 2009, 380 p., coll. « Éducation ».

MATHIS-MOSER, Ursula, et Günter BISCHOF. *Acadians and Cajuns: The Politics and Culture of French Minorities in North America = Acadiens et Cajuns : politique et culture de minorités francophones en Amérique du Nord*, Innsbruck, Innsbruck University Press, 2009, 204 p.

MBONIMPA, Melchior (dir.). *Défis éthiques contemporains : études de cas*, Sudbury, Prise de parole, 2009, 121 p., coll. « Cognitio ».

MCLEOD, Arthur James. *The Notary of Grand-Pré: A Historic Tale of Acadia*, Charleston, BiblioLife, 2009, 156 p. (Réimpr. de l'éd. de Boston, Author, 1901.)

MCNALLY, Carolynn. *Histoire de la Fédération des étudiants et étudiantes du Centre universitaire de Moncton (1969-2009) : quarante ans de repré-*

sentation et de revendications étudiantes en Acadie, Moncton, Université de Moncton, Institut d'études acadiennes, 2010, 150 p., coll. « Clément-Cormier ».

MERKLE, Denise, Jane KOUSTAS, Glen NICHOLS et Sherry SIMON (dir.). *Traduire depuis les marges = Translating from the Margins*, Québec, Éditions Nota bene, 2009, 413 p., coll. « Terre américaine ».

MIGNEAULT, Gaétan. *Les Acadiens du Nouveau-Brunswick et de la Confédération*, Lévis, Éditions de la Francophonie, 2009, 270 p.

MOISAN, Clément. *Écritures migrantes et identités culturelles*, Québec, Éditions Nota bene, 2008, 146 p., coll. « Essais critiques ».

MONTIGNY, Dumont de. *Regards sur le monde atlantique*, Québec, Septentrion, 2008, 498 p., « Collection V ».

MORISSET, Lucie K. *Les régimes d'authenticité : essai sur la mémoire patrimoniale*, Québec, Presses de l'Université du Québec, 2009, 136 p.

MORISSONNEAU, Christian. *Le rêve américain de Champlain*, Montréal, Hurtubise HMH, 2009, 256 p., « Hors collection ».

MOUHOT, Jean-François. *Les réfugiés acadiens en France (1758-1785) : l'impossible réintégration ?*, Québec, Septentrion, 2009, 456 p., coll. « Essai historique ».

MULATRIS, Paulin (dir.). *L'intégration des immigrants francophones dans l'Ouest du Canada : actes du colloque*, Edmonton, Institut pour le patrimoine de la francophonie de l'Ouest canadien, 2009, 93 p.

NADEAU, Jean-Marie. *L'Acadie possible : la constance d'une pensée*, Lévis, Éditions de la Francophonie, 2009, 267 p.

NADEAU, Jean-Marie. *Que le Tintamarre commence ! Lettre ouverte au peuple acadien*, Lévis, Éditions de la Francophonie, 2009, 174 p.

OAKES, Leigh, et Jane WARREN. *Langue, citoyenneté et identité au Québec*, Québec, Les Presses de l'Université Laval, 2009, 340 p., coll. « Langue française en Amérique du Nord ».

OUELLET, François. *Lire Poliquin*, Sudbury, Prise de parole, 2009, 298 p., coll. « Agora ».

OUELLET, Pierre. *Hors-temps : poétique de la posthistoire*, Montréal, VLB éditeur, 2008, 378 p., coll. « Le soi et l'autre ».

PAQUET, Gilles. *Tableau d'avancement : petite ethnographie interprétative d'un certain Canada français*, Ottawa, Les Presses de l'Université d'Ottawa, 2008, 231 p., coll. « Gouvernance ».

PARISOT, Yolaine, Véronique BONNET et Guillaume BRIDET (dir.). *Caraïbe et océan Indien : questions d'histoire*, Paris, L'Harmattan, 2009, 202 p.

PERRIN, Warren A. *Une saga acadienne, 1755-2003 : de Beausoleil Broussard à la Proclamation royale*, trad. Roger Léger et Guy Thériault, Saint-Jean-sur-Richelieu, Éditions Lambda, 2009, 242 p.

PERRON, Normand, et Jacques BERNARD. *La Beauce-Etchemin-Amiante*, Québec, Les Presses de l'Université Laval, 2010, 186 p., coll. « Les régions du Québec… histoire en Bref ».

PIERRE, Emeline. *Le caractère subversif de la femme antillaise dans un contexte (post)colonial*, Paris, L'Harmattan, 2008, 194 p.

PILOTE, Annie. *Les jeunes dans la francophonie canadienne : bibliographie thématique (1998-2009)*, Montréal, Institut national de la recherche scientifique – Urbanisation, culture et société, 2009, 95 p.

400ème anniversaire de la fondation de Québec : 400 ans de présence française en Amérique du Nord : exposition à la poste Paris-La Boétie, 23 juin-12 juillet 2008, Paris, Éditions Visualia, 2008.

RICHARD, Édouard. *Acadia, Missing Links of a Lost Chapter in American History*, Charleston, BiblioLife, 2009, 392 p.

RIVIÈRE, Sylvain. *Contes, légendes et récits de l'Acadie*, Trois-Pistoles, Éditions Trois-Pistoles, 2009, 891 p.

ROBICHAUD, Armand G. *Les flibustiers de l'Acadie : coureurs des mers*, Lévis, Éditions de la Francophonie, 2008, 204 p.

ROBICHAUD, Armand G. *Maisons ancestrales des Robichaud*, Lévis, Éditions de la Francophonie, 2009, 416 p.

ROBICHAUD BOURQUE, Claudette. *Maman, Papa, c'est quoi l'Acadie ?* Lévis, Éditions de la Francophonie, 2009, 48 p.

ROBILLARD, Denise. *Maurice Baudoux 1902-1988 : une grande figure de l'Église et de la société dans l'Ouest canadien*, Québec, Les Presses de l'Université Laval, 2009, 518 p.

ROBILLARD, Denise. *L'Ordre de Jacques Cartier : une société secrète pour les Canadiens français catholiques, 1926-1965*, Montréal, Fides, 2009, 544 p.

ROMPKEY, Ronald. *Les Français à Terre-Neuve : un lieu mythique, une culture fantôme*, Bordeaux, Presses universitaires de Bordeaux, 2009, 308 p.

ROY, Armand. *Donald McGraw – une flamme en Acadie : entretiens, récits et réflexions*, Lévis, Éditions de la Francophonie, 2008, 271 p.

ROY, Jean-Louis. *Quel avenir pour la langue française ? Francophonie et concurrence culturelle au XXI*e *siècle*, Montréal, Hurtubise HMH, 2008, 268 p.

RUDIN, Ronald. *Remembering and Forgetting in Acadie: A Historian's Journey through Public Memory*, Toronto, University of Toronto Press, 2009, 384 p.

SAINT-MARTIN, Lori. *Au-delà du nom : la question du père dans la littérature québécoise actuelle*, Montréal, Les Presses de l'Université de Montréal, 2010, 432 p., coll. « Nouvelles études québécoises ».

SALMON, Carole. *Cent ans de français cadien en Louisiane : étude sociolinguistique du parler des femmes*, New York, Peter Lang, 2009, 123 .

SAVOIE, Donald J. *Moi, je suis de Bouctouche : les racines bien ancrées*, Montréal, McGill-Queen's University Press, 2009, 224 p. (Publié aussi en anglais sous le titre : *I'm from Bouctouche, me: Roots Matter*, Montréal, McGill-Queen's University Press, 2009, 281 p.)

SAVOIE, Simone. *Simone, l'Acadienne aux mille passions : autobiographie*, Lévis, Éditions de la Francophonie, 2009, 246 p.

SEYMOUR, Michel. *De la tolérance à la reconnaissance*, Montréal, Éditions du Boréal, 2008, 708 p.

SIMARD, François-Xavier. *La force de l'âge : trentième anniversaire de fondation de la Fédération des aînés et des retraités francophones de l'Ontario (FAFO), 1978-2008*, Ottawa, Éditions du Vermillon, 2008, 398 p.

SIMARD, François-Xavier. *Omer Deslauriers (1927-1999), visionnaire, rassembleur et bâtisseur*, Ottawa, Éditions du Vermillon, 2009, 392 p., coll. « Visages ».

SIMON, Sherry. T*raverser Montréal : une histoire culturelle par la traduction*, Montréal, Fides, 2008, 354 p.

ST-LOUIS, Caroline. *Regard du Massachusetts sur l'Acadie : le journal de Winthrop 1630-1649*, Tracadie-Sheila, La Grande Marée, 2009, 149 p.

*SYLVESTRE, Paul-François. *Cent ans de leadership franco-ontarien*, Ottawa, Éditions David, 2010, 147 p., « Hors collection ».

TAKAI, Yukari. *Gendered Passages: French-Canadian Migration to Lowell, Massachusetts, 1900-1920*, New York, Peter Lang, 2008, 272 p.

THÉRIAULT, Joseph Yvon, Anne GILBERT et Linda CARDINAL (dir.). *L'espace francophone en milieu minoritaire au Canada : nouveaux enjeux, nouvelles mobilisations*, Montréal, Fides, 2008, 564 p.

THÉRIAULT, Yvon. *François et Florence : miroir d'un couple Acadien*, Lévis, Éditions de la Francophonie, 2008, 244 p.

THIBODEAU, Serge Patrice (dir.). *Anthologie de la poésie acadienne*, Moncton, Éditions Perce-Neige, 2009, 296 p.

THIERRY, Éric. *La France de Henri IV en Amérique du Nord : de la création de l'Acadie à la fondation de Québec*, Paris, Honoré Champion, 2008, 502 p.

TOFT, Lise, et Lisbeth VERSTRAETE-HANSEN (dir.). *Une francophonie plurielle : langues, idées et cultures en mouvement*, Kobenhavn, Museum Tusculanum Press, 2009, 185 p.

TONTONGI. *Critique de la francophonie haïtienne*, Paris, L'Harmattan, 2008, c2007, 240 p.

TRUDEL, Marcel. *Mythes et réalités dans l'histoire du Québec : la suite*, Montréal, Bibliothèque québécoise, 2008, 304 p.

VAILLANCOURT, Yves. *Mon Nord magnétique*, Montréal, Québec Amérique, 2009, 181 p., coll. « Littérature d'Amérique ».

VANDERLINDEN, Jacques. *Regards d'un historien du droit sur l'Acadie des XVIIe et XVIIIe siècles*, Moncton, Institut d'études acadiennes, 2008, 331 p., « Hors-série ».

VIAU, Robert. *Antonine Maillet : 50 ans d'écriture*, Ottawa, Éditions David, 2008, 360 p., coll. « Voix savantes ».

VIGNEAULT, Robert. *Dialogue sur l'essai et la culture*, Québec, Les Presses de l'Université Laval, 2009, 75 p., coll. « Cultures québécoises ».

WASHINGTON CABLE, George. *Bonaventure: A Prose Pastoral of Acadian Louisiana*, Charleston, BiblioLife, 2009, 324 p. (Réimpr. de l'éd. de New York, Scribner, 1888.)

WEIDMANN KOOP, Marie-Christine (dir.). *Le Québec à l'aube du nouveau millénaire : entre tradition et modernité*, Québec, Presses de l'Université du Québec, 2008, 436 p.

THÈSES

AUCOIN, Angèla. *Pas plus spécial que nécessaire : étude de l'historique, du cadre légal et du vécu de l'inclusion scolaire chez les Acadiens et les Acadiennes de la Nouvelle-Écosse*, thèse de doctorat, Université de Moncton, 2010, 145 p.

BELLIVEAU, Joël. *Tradition, libéralisme et communautarisme durant les « Trente glorieuses » : les étudiants de Moncton et l'entrée dans la modernité avancée des francophones du Nouveau-Brunswick*, thèse de doctorat, Université de Montréal, 2008, 409 p.

BOUDREAU, Nicole L.-L. *C'est Hardly that Bad: An Essay on Acadian Hybridity in Baie Sainte-Marie*, thèse de doctorat, Université de la Louisiane à Lafayette, 2008, 212 p.

BROWN, Brigitta. *Anglo-French Relations and the Acadians in Canada's Maritime Literature: Issues of Othering and Transculturation*, thèse de doctorat, Université de Gothenburg (Suède), 2008, 151 p.

BURNS, Anna L. *« Bonsoir le maître et la maîtresse » : le rôle de la Guiannée dans le maintien des communautés franco-américaines de Sainte-Geneviève et de la Prairie-du-Rocher*, thèse de doctorat, Université de la Louisiane à Lafayette, 2009, 356 p.

DOIRON, Andrée Mélissa. *Le complexe des aboiteaux : l'expérience du souvenir obstinément renouvelée chez l'écrivain acadien Claude LeBouthillier*, thèse de maîtrise, Université Laval, 2008, 98 p.

GODIN, Josée. *Les enjeux de la nomination : l'exemple du « Times and Transcript » de Moncton*, thèse de maîtrise, Université de Moncton, 2009, 170 p.

KENNEDY, Gregory. *French Peasants in Two Worlds: A Comparative Study of Rural Experience in Seventeenth and Eighteenth Century Acadia and the Loudunais*, thèse de doctorat, Université York, 2008, 520 p.

KEPPIE, Christina Lynn. *L'Acadie communautaire : The Inclusion and Exclusion of New Brunswick Francophones*, thèse de doctorat, Université de l'Alberta, 2008, 317 p.

LAPALME, Julie. *L'individu hypermoderne dans trois œuvres franco-ontariennes : une lecture d'André Paiement, de Patrice Desbiens et de Michel Ouellette*, thèse de maîtrise, Université Concordia, 2008, 227 p.

LEBLANC, Matthieu. *Pratiques langagières et bilinguisme dans la fonction publique fédérale : le cas d'un milieu de travail bilingue en Acadie du*

Nouveau-Brunswick, thèse de doctorat, Université de Moncton, 2008, 527 p.

LÉGER, Richard. *Le chœur : de la conscience collective à la conscience individuelle : exploration de la choralité*, thèse de maîtrise, Université d'Ottawa, 2008, 155 p.

LONG, Michael. *Les verbes à particule (VPART) dans une variété de français acadien, le chiac*, thèse de maîtrise, Université de Moncton, 2008, 118 p.

MARTIN, Nathalie F. *Didactique du lexique adaptée aux francophones du Nouveau-Brunswick : syntaxe et actants, régionalisme, polysémie et parasynonymie*, thèse de maîtrise, Université de Moncton, 2009, 220 p.

NORMAND, Martin. *À la recherche d'une « théorie » du développement global : une approche contextuelle pour l'étude du développement des communautés francophones vivant en situation minoritaire*, thèse de maîtrise, Université d'Ottawa, 2008, 202 p.

NOVALE, Anastassia. *Les particularités d'emploi des prépositions « à » et « de » suivies de la construction infinitive dans le français acadien : exemple du corpus Parkton*, thèse de maîtrise, Université de Moncton, 2008, 121 p.

PELLETIER, Lianne. *Understanding Franco-Ontarian Public Spaces: A Study of La Nouvelle Scène*, thèse de maîtrise, Université d'Ottawa, 2009, 124 p.

PIDACKS, Adrienne Marie. *Following the Evangeline Trail: Acadian Identity Performance Across Borders*, thèse de maîtrise, Université du Maine, 2008, 175 p.

ROBICHAUD, Joelle. *Adaptation et validation française d'une mesure d'intimidation scolaire auprès d'élèves francophones du Nouveau-Brunswick*, thèse de maîtrise, Université de Moncton, 2008, 147 p.

ROCHON, Hélène. *Configuration des espaces et questionnement identitaire dans les recueils de nouvelles de Jean Éthier-Blais*, thèse de maîtrise, Université de Moncton, 2008, 125 p.

ROY, Vincent, *Institutions scolaires et vitalité francophone à Moncton*, thèse de maîtrise, Université d'Ottawa, 2008, 176 p.

ST-LOUIS, Caroline. *Les relations politiques et économiques entre le Massachusetts et l'Acadie : 1630-1649*, thèse de maîtrise, Université de Moncton, 2008, 140 p.

THIBEAULT, Jimmy. *Des identités mouvantes : se définir dans le contexte de la transculturalité. Étude sur la représentation du processus d'identification dans le discours narratif canadien-français contemporain*, thèse de doctorat, Université d'Ottawa, 2008, 333 p.

TROTTIER, Lisette. *Le cheminement d'une francophone en situation minoritaire*, thèse de maîtrise, Université de l'Alberta, 2009, 89 p.

VAILLANCOURT, Danica. *Problème d'expression : l'alternance codique et ses retombées sur l'identité individuelle et collective : étude d'un corpus littéraire franco-ontarien et acadien*, thèse de maîtrise, Université de Waterloo, 2008, 107 p.

Résumés / Abstract

Nathalie DOLBEC
Les descriptions de villages dans l'œuvre de Gabrielle Roy

De *Fragiles lumières de la terre* à *La détresse et l'enchantement*, une étude diachronique du descriptif, examine, sous l'angle narratologique, vingt-cinq descriptions de villages chez Gabrielle Roy. L'analyse de l'implantation du segment descriptif, puis celle des opérations de schématisation, d'aspectualisation et de mise en situation spatiale révèlent un système à fonction signalétique. Le village comme objet décrit suscite une quête – factuelle et allégorique. Dans le cheminement rhétorique conduisant d'Iberville à Encinitas puis à Upshire, ce dernier apparaît comme le village royen par excellence, à la fois ouvert sur le monde et douillettement replié sur lui-même : un nid-belvédère, en somme.

From Fragiles lumières de la terre *to* La détresse et l'enchantement, *a diachronic, narratological study of twenty-five descriptions of villages in Gabrielle Roy's writings addresses the positioning of the descriptive segments and such operations as "schematization", "aspectualisation" and spatial contextualisation, to reveal a system which presents the village as the object of a quest, literal and allegorical. In the course of a rhetorical journey from Iberville to Encinitas and finally Upshire, the latter emerges as the Royan village* par excellence, *withdrawn and yet open to the outside world – both a nest and a look-out.*

Maryse LEMOINE
Discrimination et traitement préférentiel envers la communauté francophone immigrante : la recherche de logement des immigrants français et congolais à Toronto

Cette recherche porte sur les expériences de discrimination et de traitement différentiel des immigrants originaires de la France et de la République démocratique du Congo à Toronto et, en particulier, sur les différentes manières dont ces expériences peuvent avoir un impact sur la recherche d'un logement. L'étude révèle que les immigrants français et congolais appartenant à des groupes vulnérables, telles les minorités visibles, les familles monoparentales, les familles avec de jeunes enfants, sont exposés à la discrimination. Les immigrants français bénéficient d'un traitement préférentiel qui facilite leur recherche de logement en créant des opportunités en matière d'habitation. Ce favoritisme ne protège cependant pas contre toutes les formes de discrimination.

This study focuses on experiences of discrimination and preferential treatment among immigrants from France and the Democratic Republic of the Congo living in Toronto. It looks at ways in which those experiences affect housing searches. The study reveals that vulnerable groups among French and Congolese immigrants, including visible minorities, single parent families, and families with small children, are exposed to discrimination. Preferential treatment benefits French immigrants by facilitating their housing searches through the creation of housing opportunities. Favouritism does not however protect from all forms of discrimination.

Anne GILBERT, Marie LEFEBVRE et Louise BOUCHARD
L'ambition territoriale dans le dossier de la santé en français

Dix ans se sont écoulés depuis le jugement Montfort, qui consacrait l'Hôpital comme une composante essentielle de la vitalité des communautés francophones en situation minoritaire. Jusqu'à quel point cette reconnaissance du droit à un service en français, accessible dans des établissements localisés dans les milieux dans lesquels la minorité évolue, a-t-elle mené à une ambition plus territoriale chez les intervenants francophones ? L'analyse des propos tenus par 38 participants à un exercice de cartographie conceptuelle sur l'avenir des services de santé en français en Ontario révèle qu'ils ne s'aventurent pas très loin sur le terrain des modalités de l'édification d'un véritable territoire francophone en santé. L'institution est évoquée, mais davantage comme un projet appartenant à un horizon lointain que comme un enjeu actuel. En guise de conclusion, les auteures se sont interrogées sur les effets d'une telle vision sur l'avenir des services de santé en français.

Ten years ago the ruling on the Montfort Hospital in Ottawa recognized health as an essential component of the life of francophone minorities. To what extent has the right to be served in French in local health institutions lead to territorial aspirations within the francophone leadership? This paper analyses the interventions by 38 participants in a virtual cartography exercise on the future of health services offered to Franco-Ontarians. As far as health is concerned, the results show that participants were reluctant to construct a distinct francophone territory. Institutions were mentioned but seen only as a distant goal rather than a current concern. The impact of such a response on the future of health services in French is explored.

Élise Lepage
Nancy Huston, empreintes et failles d'une mémoire sans frontières

L'empreinte de l'ange (1998) et *Lignes de faille* (2006), de Nancy Huston, sont des romans qui traitent de certains grands conflits du siècle passé et dont les narrateurs et les personnages sont d'origines diverses. Cet article étudie comment ces « romans mémoriels » problématisent la pluralité des mémoires et leurs récits croisés, parfois conflictuels. Par son choix d'aborder des tragédies qui ont frappé des peuples très différents, Nancy Huston semble suggérer que chacune n'appartient pas uniquement à une mémoire nationale, mais que toutes relèvent d'une mémoire internationale qu'assume une littérature-monde libérée des frontières et des critères d'appartenance nationale.

L'empreinte de l'ange *(1998) and* Lignes de faille *(2006), two novels by Nancy Huston, deal with several major conflicts of the 20th century, while introducing narrators and characters of various origins. This paper studies how these "romans mémoriels" question a pluralistic memory and intertwined—sometimes conflicting—narratives. By her choice of representing tragedies which affected very different peoples, Nancy Huston seems to suggest that none belongs to a national memory, but that all take part into an international memory undertaken by a "littérature-monde" released of its boundaries and national belonging criterion.*

Christian Uwe
Du mouvement et de la variation du Tout-monde

Le concept de Tout-monde semble être le point de convergence de la pensée d'Édouard Glissant. Les nombreuses définitions qu'en donne l'auteur participent d'une pensée en mouvement, toujours et volontiers recommencée, une pensée dont l'expression embrasse jusqu'aux formes qu'elle emprunte et qui fait de l'imaginaire un trait d'union entre la poétique et l'éthique. L'idée de mouvement, inscrite dans l'approche du Tout-monde, éclaire ainsi le caractère foncièrement inachevé d'un monde dont il s'agit de penser la complexité et qui se donne à la fois comme « quantité réalisée » et comme projet.

Édouard Glissant's writing centers around the notion of "Tout-monde" *(an all-encompassing world). Glissant defines* "Tout-monde" *as an ever-changing and always regenerating concept shaped by the very forms it takes and acting as an imaginary link between poetics and ethics. The fundamental incompleteness of the world is brought forth by the constant mobility of Glissant's concept as it allows us to think in terms of a complexity that is at once real and imagined.*

France GAUVIN, Tamarha PIERCE et Marie-Hélène GAGNÉ
Défis liés à la culture dans la réponse aux besoins des familles francophones de l'Alberta

Cette étude examine les besoins et les défis en matière de soutien social de répondants francophones albertains, répartis en cinq sous-groupes selon leur lieu d'origine. La langue et l'hétérogénéité culturelle dans un contexte minoritaire sont prises en compte sous l'angle des processus d'acculturation. Une méthode mixte (quantitative et qualitative) a permis de dresser un portrait global des expériences de stress et de soutien en lien avec des événements de vie, des facteurs limitant l'accès aux ressources et des besoins prioritaires des répondants. La discussion met en relief l'importance de concevoir des services culturellement adaptés aux besoins de cette communauté.

This study examines the social support needs and challenges of French-speaking Albertans, distinguished in five sub-groups according to their place of origin. The language and cultural heterogeneity are considered from an acculturation perspective. A mixed quantitative and qualitative method was used to draw a global portrait of respondents' experience of stress and support, in relation to recent life events, the main barriers limiting their access to exiting resources and their perception of the services most urgently needed by their community. The discussion highlights the importance of responding to the needs of this community with culturally adapted services.

Robert YERGEAU
Questions de temps : regards sur un recueil de poèmes de Gilles Lacombe

La première partie de cet article met en relief quelques éléments majeurs liés à la notion protéiforme du temps. L'auteur questionne ensuite le rapport problématique du temps et de l'espace dans la littérature franco-ontarienne. Suit l'analyse du recueil de poèmes de Gilles Lacombe *Petites heures qui s'avancent en riant* paru en 1998, qui témoigne d'un temps qui n'est ni sacralisé, ni éclaté, ni résigné en fonction de conceptions temporelles particulières aux cultures minoritaires.

This article highlights the major elements related to the protean notion of time. The problematic representation of time in Franco-Ontarian literature is questioned. Gilles Lacombe's collection of poems Petites heures qui s'avancent en riant, *published in 1998, is further analysed. In the context of specific constructions of time in minority cultures, Gilles Lacombe's work evokes a conception of time that cannot be sacred, fragmented, or resigned.*

Notices biobibliographiques

LOUISE BOUCHARD enseigne au Département de sociologie et au programme de doctorat en santé des populations de l'Université d'Ottawa. Ses domaines d'expertise sont la sociologie de la santé et la sociologie des sciences. Ses intérêts de recherche ont porté sur les innovations en médecine (technologies de reproduction, tests génétiques, virage ambulatoire), en traitant, plus particulièrement des enjeux sociaux, éthiques et organisationnels. Elle s'intéresse actuellement à la recherche en santé des populations et à l'étude des déterminants sociaux de la santé. Récipiendaire d'une subvention de développement des capacités de recherche (IRSC 2006-2011), elle coanime avec Anne Leis un réseau de recherche interdisciplinaire sur la santé en situation linguistique minoritaire et met en œuvre une programmation de recherche portant sur l'étude des facteurs socioenvironnementaux, culturels et structurels qui influent sur les disparités de santé. Avec Marie-Hélène Chomienne, elle codirige le Réseau de recherche appliquée sur la santé des francophones de l'Ontario, une initiative du ministère de la Santé de l'Ontario (2009-2014).

NATHALIE DOLBEC est professeure agrégée au Département de langues, littératures et cultures de l'Université de Windsor, où elle enseigne la littérature et la culture francophones du Canada, ainsi que la théorie littéraire contemporaine. Elle s'intéresse tout particulièrement au descriptif chez les écrivains des XIXe et XXe siècles, tant au Canada français qu'en France. Elle a collaboré à plusieurs revues, dont *Cahiers franco-canadiens de l'Ouest*, *Recherches théâtrales au Canada*, *Itinéraires du XIXe siècle*, *Bulletin des amis d'André Gide* et, plus récemment, à *Littérature canadienne*, à *Nouvelles études francophones* et à *Études en littérature canadienne*.

MARIE-HÉLÈNE GAGNÉ est psychologue communautaire et professeure titulaire à l'École de psychologie de l'Université Laval. Elle est membre du Centre de recherche sur l'adaptation des jeunes et des familles à risque (JEFAR) et collabore depuis plusieurs années avec les services de protection de la jeunesse au Québec, par l'entremise d'activités de recherche en partenariat et d'échange de connaissances. Ses recherches portent sur la victimisation des enfants et des adolescents, plus particulièrement au sein de familles aux prises avec des perturbations relationnelles importantes, susceptibles d'engendrer diverses formes de maltraitance psychologique.

France Gauvin détient un doctorat en psychologie clinique de l'Université Laval. Elle travaille présentement comme psychologue en santé mentale, traitement première ligne, au Centre de santé et de services sociaux de la Vieille-Capitale à Québec. L'expérience acquise pendant plus d'une quinzaine d'années au sein de la communauté francophone de l'Alberta et, plus particulièrement, son engagement en tant que directrice générale de l'Institut Guy-Lacombe de la famille ont stimulé son intérêt envers la problématique de la diversité culturelle en contexte minoritaire.

Anne Gilbert est directrice du Centre de recherche en civilisation canadienne-française de l'Université d'Ottawa. Spécialiste reconnue des minorités francophones au Canada, elle mène divers travaux sur leurs espaces et leurs territoires. Elle est rattachée au Département de géographie, où elle enseigne en géographie sociale ainsi que sur le Canada et ses régions. Elle mène, actuellement, une recherche sur l'espace de la vie quotidienne dans la région d'Ottawa-Gatineau, une région traversée par la frontière qui a la plus forte charge symbolique au pays. Elle s'intéresse à l'effet de cette frontière sur les pratiques et les identités des minorités anglo-gatinoises et franco-ontariennes. Conjointement avec Joseph Yvon Thériault et Linda Cardinal, elle a coordonné, récemment, la production d'un ouvrage phare sur les nouveaux enjeux du développement de la francophonie canadienne. Elle a publié, en 2010, une synthèse des travaux de son équipe de recherche sur la vitalité des communautés francophones du pays.

Marie Lefebvre est doctorante au Département de géographie de l'Université d'Ottawa. Elle s'intéresse aux minorités francophones et aux facteurs de leur vitalité. Sa thèse de maîtrise portait sur les minorités acadiennes et, plus particulièrement, sur le phénomène identitaire, tant sur le plan des représentations que sur celui du vécu individuel et collectif des Acadiens du Québec. Elle poursuit sa réflexion sur l'Acadie en examinant l'adéquation entre la fête, le territoire, la frontière et l'identité. S'inscrivant dans les discussions entourant la définition de l'Acadie, sa recherche a d'abord pour but de faire ressortir l'Acadie telle qu'elle est *performée*, c'est-à-dire sentie, pensée et vécue dans un contexte festif, en dévoilant à la fois son unité et sa diversité géographiques et identitaires, et d'approfondir les mécanismes de territorialisation de l'espace acadien. Sa recherche a donné lieu, dans les dernières années, à diverses publications.

MARYSE LEMOINE est détentrice d'une maîtrise de l'Université York portant sur la trajectoire résidentielle des immigrants francophones à Toronto, dont cet article est inspiré. Elle possède aussi une maîtrise (bibliothéconomie) de l'Université McGill. Elle a, jusqu'à tout récemment, dirigé un projet de recherche sur l'intégration des immigrants sur le marché du travail torontois et travaille maintenant à l'Office des affaires francophones du gouvernement de l'Ontario.

ÉLISE LEPAGE a récemment obtenu son doctorat à l'Université de Colombie-Britannique et enseigne la littérature québécoise à l'Université de Waterloo. Ses travaux portent sur l'imaginaire géographique en littérature québécoise et francophone. Elle est l'auteure de quelques publications et termine, notamment, la publication du numéro « Comment écrire après… ? » de la revue *@nalyses.*

TAMARHA PIERCE détient un doctorat en psychologie expérimentale de l'Université McGill. Elle est professeure agrégée à l'École de psychologie de l'Université Laval. Ses travaux de recherche portent principalement sur les relations interpersonnelles, le couple, la famille et la transition à la parentalité.

CHRISTIAN UWE, originaire du Rwanda, a fait des études de premier cycle en philosophie en Afrique du Sud, avant d'entamer une Licence de Lettres modernes à Lyon, France. Après un Master en sémiotique obtenu à l'Université Lumière Lyon 2, il travaille actuellement à une thèse de doctorat, toujours en sémiotique littéraire, portant sur les « problèmes d'énonciation dans l'œuvre romanesque d'Édouard Glissant ».

ROBERT YERGEAU est professeur titulaire au Département de français de l'Université d'Ottawa. Il a publié plusieurs recueils de poèmes, ainsi que trois essais qui forment un triptyque : *À tout prix : les prix littéraires au Québec* (1994), *Art, argent, arrangement : le mécénat d'État* (2004) et le *Dictionnaire-album du mécénat d'État* (2008). Il a fondé, en 1988, les Éditions du Nordir.

Politique éditoriale

Francophonies d'Amérique est une revue pluridisplinaire dans le domaine des sciences humaines et des sciences sociales. Elle paraît deux fois l'an. La direction de la revue favorise non seulement la représentation équitable des diverses disciplines, mais elle encourage également les croisements disciplinaires. L'Ontario, l'Acadie, l'Ouest canadien, les États-Unis et les Antilles (Haïti, Martinique, Guadeloupe) y sont représentés. Le Québec peut aussi y être conçu comme un objet d'étude dans son histoire et sa présence continentales. Les diverses facettes de la vie française dans ces régions font l'objet d'analyses et d'études à la fois savantes et accessibles à un public qui s'intéresse aux « parlants français » en Amérique du Nord. On y retrouve aussi des comptes rendus et une bibliographie des publications récentes en langue française issues de ces collectivités. La direction de la revue privilégie la représentation des régions tant par les textes que par les auteurs et encourage les études comparatives et les perspectives d'ensemble. *Francophonies d'Amérique* vise à refléter un secteur de recherche en pleine croissance et constitue ainsi une source de renseignements des plus utiles pour quiconque s'intéresse à la francophonie nord-américaine dans toute sa vitalité.

Procédure d'évaluation des articles

Tous les articles soumis à la revue, y compris les textes sollicités par la direction, les membres du conseil d'administration ou du comité de rédaction, doivent faire l'objet d'une évaluation par au moins deux personnes compétentes. La revue fera appel le plus souvent possible aux membres du comité de rédaction pour assurer l'évaluation des textes. La sollicitation d'un article ou d'un compte rendu n'en signifie donc pas l'acceptation automatique.

Francophonies d'Amérique ne publie que des articles inédits, c'est-à-dire qui n'ont fait l'objet d'aucune publication antérieure, sous quelque forme que ce soit, incluant le site Web de l'auteur, celui du centre de recherche ou celui de l'institution à laquelle il est rattaché.

Numéros thématiques – textes choisis de colloques

Francophonies d'Amérique accueille volontiers des articles provenant de colloques portant sur des sujets pertinents. Un seul numéro par année est normalement consacré à ce type de publication.

La préparation des textes est confiée au responsable du numéro thématique. Tous les articles doivent être remis en un seul dossier, en format Word. La présentation du numéro par le responsable scientifique et les notices biobibliographiques (100 mots) des collaborateurs et des collaboratrices ainsi que les résumés (en français et en anglais) des articles (100 mots) doivent être compris dans le dossier remis à la direction de la revue. Les textes doivent être conformes aux normes et au protocole de rédaction de la revue.

Les manuscrits doivent faire l'objet d'une évaluation normale par les pairs.

En consultation avec les coordonnateurs des différents dossiers, la direction de *Francophonies d'Amérique* est responsable du choix final des articles, et elle avisera les auteurs de sa décision.

Nombre de pages

Les numéros de *Francophonies d'Amérique* comptent au maximum 200 pages, incluant la table des matières, l'introduction, les articles, les comptes rendus, les notices biobibliographiques et les pages se rapportant à la revue.

Longueur des articles

Les textes soumis pour publication comptent entre 15 et 20 pages, à interligne double. Les tableaux, les graphiques et les illustrations doivent être limités à l'essentiel ; chaque numéro comprend au maximum 26 tableaux et illustrations.

Présentation des articles

La revue utilise le système de renvoi à l'intérieur du texte, suivi d'une bibliographie des ouvrages cités. Les notes doivent être réduites au minimum, et seules celles qui sont essentielles à la cohésion et à la compréhension de l'article seront publiées. De même, la revue ne publiera que la bibliographie des ouvrages cités.

Présentation des comptes rendus

Les comptes rendus comprennent la référence complète de l'ouvrage recensé en guise de titre, suivie du nom de l'auteur du compte rendu ainsi que ses coordonnées complètes. Nombre de mots : entre 1 000 et 1 200.

Protocole de rédaction

Le protocole de rédaction est disponible dans le site Web de la revue, à l'adresse suivante : [http://www.crccf.uottawa.ca/francophonies_ amerique/protocole.pdf].

Accès libre aux articles

Deux ans après la parution de son article en format imprimé et électronique dans le portail Érudit, l'auteur qui le désire pourra diffuser librement son article après en avoir obtenu l'autorisation de *Francophonies d'Amérique* et en s'assurant que la source de l'article est clairement indiquée.

AVIS PUBLIC

Dans le but de valoriser et de diffuser auprès d'un large public la revue *Francophonies d'Amérique*, le conseil d'administration de la Revue a décidé de procéder à la numérisation rétrospective des numéros 1 à 24. Ces numéros et articles numérisés seront accessibles librement et gratuitement sur la Plateforme Érudit, laquelle diffuse plus d'une centaine de revues savantes et culturelles, des thèses et autres ouvrages savants (WWW.ERUDIT.ORG).

Tout auteur, titulaire de droits sur un ou plusieurs articles publiés dans les numéros 1 à 24 de la revue *Francophonies d'Amérique*, qui ne souhaite pas voir diffusée la version numérique de son article sur la Plateforme Érudit ou dans tout autre média électronique, banque de données informatisées et autres supports similaires, peut adresser une demande écrite à la Revue afin que son ou ses articles soient retirés (voir les coordonnées ci-dessous).

Francopohonies d'Amérique est disponible sur Érudit
http://www.erudit.org/revue/fa/apropos.html

Colette Michaud
Secrétariat de rédaction, *Francophonies d'Amérique*
Centre de recherche en civilisation canadienne-française
Université d'Ottawa
65, rue Université, bureau 040
Ottawa (Ontario) K1N 6N5
Téléphone : 613 562-5800, poste 4001
Télécopieur : 613 562-5143
Courriel : cmichaud@uOttawa.ca

http://www.crccf.uottawa.ca/francophonies_amerique/index.html

FRANCOPHONIES D'AMÉRIQUE

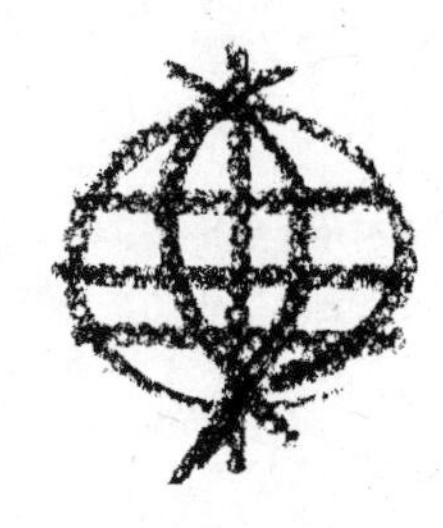

Centre de recherche en civilisation canadienne-française
Centre for Research on French Canadian Culture
Faculté des arts / Faculty of Arts
Université d'Ottawa / University of Ottawa
65, rue Université, pièce 040
Ottawa (Ontario) K1N 6N5
Tél. : 613-562-5800, poste 4007
Téléc. : 613-562-5143
Att. : Monique P.-Légaré

ABONNEMENT / SUBSCRIPTION ANNÉE 2011 NUMÉROS 31 ET 32

JE DÉSIRE M'ABONNER À *FRANCOPHONIES D'AMÉRIQUE*

Canada (TPS comprise)

Étudiant	☐	30 $
Individu	☐	40 $
Institution	☐	110 $

À l'étranger

Étudiant	☐	35 $ CAN
Individu	☐	50 $ CAN
Institution	☐	135 $ CAN

Nom et prénom : ______________________

Organisme : ______________________

Adresse : ______________________

Ville et province : ______________________

Code postal : ______________________

Numéro de téléphone ou courriel : ______________________

Veuillez retourner une copie de ce formulaire d'abonnement au Centre de recherche avec votre chèque libellé au nom de l'Université d'Ottawa.
Please return one copy of this subscription form to the Research Centre with your payment payable to the University of Ottawa.

Achevé d'imprimer
en juillet deux mille onze, sur les presses
de l'imprimerie Gauvin, Gatineau, Québec